CLÓVIS DE BARROS FILHO

PEDRO CALABREZ

EM BUSCA DE NÓS MESMOS

Em busca de nós mesmos

4ª edição: Novembro 2021

Direitos reservados desta edição: CDG Edições e Publicações

*O conteúdo desta obra é de total responsabilidade dos autores
e não reflete necessariamente a opinião da editora.*

Autores:
Clóvis de Barros Filho
Pedro Calabrez

Revisão:
3GB Consulting

Projeto gráfico:
Dharana Rivas

Edição e preparação de texto:
Lúcia Brito

DADOS INTERNACIONAIS DE CATALOGAÇÃO NA PUBLICAÇÃO (CIP)

B277e   Barros Filho, Clóvis de.

Em busca de nós mesmos / Clóvis de Barros Filho, Pedro Calabrez. – Porto Alegre: CDG, 2019.

ISBN: 978-65-5047-014-2
1. Desenvolvimento pessoal. 2. Filosofia e psicologia. 3. Ética. 4. Neurociências. I. Calabrez, Pedro. II. Título.

CDD - 181.0956

Produção editorial e distribuição:

contato@citadel.com.br
www.citadel.com.br

Diamante de Bolso

A coleção Diamante de Bolso apresenta sucessos da Citadel Editora em versão concisa. Os títulos de nosso catálogo foram cuidadosamente lapidados para oferecer facetas cintilantes da obra original.

Este diamante é uma pequena gema para estimular a leitura do livro na íntegra. Uma joia para acompanhar o leitor no dia a dia, como lembrete ou fonte de inspiração.

Aproveite!

SUMÁRIO

1. O que é o mundo? » 9

2. O mundo, o desejo e os prazeres » 21

3. Filosofia estoica » 45

4. Filosofia estoica x filosofia contemporânea » 57

5. Naturalismo poético » 59

6. Um pálido ponto azul » 67

7. O cérebro humano » 71

8. Nascer e crescer » 75

9. Amadurecer » 85

10. A morte » 93

11. Deus » 97

12. A ilusão da imortalidade » 99

13. Amor e paixão » 101

14. Liberdade » 117

15. Poder » 131

16. Felicidade » 135

Prefácio

Quem sou eu? De onde veio o mundo? O que devo fazer para viver melhor? Por que estou triste? O que acontece quando me apaixono?

São perguntas comuns, feitas por todos nós, mas não são levianas ou inúteis. São profundas, feitas pelos maiores pensadores da humanidade ao longo de três mil anos. Hoje são tema de investigação científica dentro das principais universidades do mundo.

Neste livro, ofereceremos algumas respostas a essas e a muitas outras questões. Não serão respostas únicas e absolutas. Mas permitirão ao leitor refletir e, quem sabe, chegar às próprias conclusões.

1

O que é o mundo?

CLÓVIS DE BARROS FILHO: Tudo o que chamamos de mundo não passa de uma percepção do nosso corpo. Observe aquilo que você ouve: é claro que o que você ouve não é o mundo, basta perfurar o tímpano e o mundo mostrará as suas garras silenciosas. Sendo os corpos diferentes uns dos outros, vemos e sentimos mundos distintos. O mundo para mim não é o mesmo mundo para você.

Se o mundo é uma produção do nosso corpo e cada um vê um mundo diferente, então quem garante que exista um único mundo? Será que o mundo não é só um delírio de cada um, uma visão? Será que existe alguma coisa fora de nós?

PEDRO CALABREZ: Gosto da palavra "produção" para definir o que é o mundo. Há outra ainda melhor: "construção". Longe de uma captura, de uma absorção pura e simples, o cérebro realiza um complexo processo de construção da realidade que percebe.

Ao olhar as pessoas andando na rua, temos a sensação de que o mundo é um filme contínuo e fluido. No entanto, isso é uma ilusão produzida pelo cérebro. Certas lesões cerebrais fazem com que as pessoas vejam o mundo como uma sequência de imagens, uma espécie de filme quadro a quadro.

Quando olhamos para nosso filho ou cachorro, temos a sensação de que são familiares. Novamente, uma construção cerebral. Há casos de lesões cerebrais que fazem com que você olhe para sua mãe e diga:

"Doutor, essa não é minha mãe, é uma impostora!".

Eu tive alunos que, ao olhar um número, sempre o enxergavam colorido; o 1 era sempre azul, o 5 era verde, o 7 era roxo. Tive alunos que, ao ouvir um som, sentiam um sabor; ré maior, amargo, sol menor, azedo. Um aluno sentia sabores ao ver objetos. O nome disso é sinestesia, condição na qual estruturas e funções de percepção aparentemente ficam emaranhadas no cérebro. É muito mais comum em famílias e pessoas que seguem carreiras artísticas.

E o seu corpo? Ele está aí, segurando este livro, certo? Errado. O corpo é igualmente uma construção do cérebro. Se eu estimular magneticamente certas regiões do seu cérebro, você poderá ter a sensação de que está fora do corpo, se observando do teto. Muitas pessoas têm a sensação de que membros amputados ainda estão lá.

Você acredita que seu prato predileto é a coisa mais gostosa do mundo. Se eu disser que não é, você não deixará de preferi-lo. Afinal, você sente que é gostoso, e essa sensação é a verdade para você. No máximo você pode reconhecer que minha verdade é diferente da sua. Muitos não são capazes nem disso.

Crenças semelhantes fundamentam posições políticas. Alguém acredita que o candidato X é a salvação e o candidato Y é a perdição. Não adianta confrontar essas crenças com dados, lógica e racionalidade.

Por que, mesmo diante de evidências concretas de erro, muitos continuam agarrados a suas crenças e preferências? Por que muitos impõem suas crenças e preferências aos outros como se fossem verdades universais? Porque as crenças, as preferências, o corpo, as sensações, as cores, o nosso eu e tudo o mais é produzido no cérebro e interpretado por nós como real – o que leva muita gente a acreditar que sejam universais, que se apliquem a todas as pessoas.

Só que a mente não existe isolada. Como diria o professor de Harvard Steven Pinker: "A mente é o que o cérebro faz". E o cérebro é parte do corpo. Podemos então concluir que a existência da mente está intimamente associada à existência do corpo.

Além disso, a mente às vezes produz delírios e alucinações. Vamos imaginar três casos: uma pessoa alucina uma abdução alienígena, uma pessoa acredita ser o Super-Homem (chamamos isso de delírio), uma pessoa sente alegria numa tarde de primavera. Nos três casos, as pessoas sentem as experiências de forma vívida. No entanto, as duas primeiras são distorções. Se há sensações distorcidas, *há algo que é distorcido*. O que não estava deturpado (distorcido) antes? A resposta é evidente: o mundo. Logo, nem tudo é mente, nem tudo é alma, nem tudo é percepção. Tudo é relação entre corpo, mente e mundo. Entre cérebro e mundo. A realidade é o resultado dessa relação.

CLÓVIS: Aquilo que sentimos é uma interpretação do nosso corpo sobre as transformações que ele sofre ao se relacionar com o mundo. Aquilo que você sente depende de você e do mundo. É óbvio que, quando outro corpo encontra a mesma coisa que você, esse outro, por ser diferente do seu, sente outra coisa.

Portanto, um erro a não cometer: imaginar que os outros sentem o mesmo que você quando encontram o mesmo mundo. Na verdade, sentimos exclusivamente, somos ilhas afetivas. Não há nada que justifique a expectativa de que o outro sinta o que você sente – razão pela qual não passa de tirania ou ignorância esperar que as pessoas sintam por nós o que sentimos por elas.

CALABREZ: Em um estudo recente, participantes beberam vinho enquanto seu cérebro era mapeado por ressonância magnética funcional, que mede com precisão o fluxo sanguíneo, indicando as áreas que se ativam e se inibem. Os participantes beberam sempre o mesmo vinho, mas foram levados a acreditar que às vezes o vinho custava $5, outras vezes, $90. Os participantes tenderam a classificar o vinho supostamente mais caro como mais saboroso. Os pesquisadores então fizeram novos testes, levando os participantes a acreditar que um vinho custava $35 e o outro $45 (como antes, o vinho era o mesmo). O resultado foi o mesmo. As pessoas tenderam a classificar o vinho de $45 como mais saboroso.

O mais interessante foi o que aconteceu no cérebro dos participantes. As estruturas associadas ao paladar e ao olfato não mostraram diferenças ao beber vinho "caro" e "barato". No entanto, com o vinho "caro", uma estrutura cerebral mostrou atividade significativamente maior do que com o "barato": o córtex orbitofrontal medial. Essa estrutura costuma estar associada a uma espécie de integração entre funções cognitivas superiores (como expectativas e percepções conscientes do mundo) e processos afetivos (emoções e sentimentos, como prazer e motivação). Isso levou os pesquisadores a sugerir que a experiência de prazer com vinhos não é somente sensorial, ou seja, não deriva somente do paladar e olfato. Envolve funções cognitivas superiores, em especial a expectativa que temos em relação à qualidade do vinho que bebemos.

Clóvis: O argumento biológico é que todas as sensações são a consequência mecânica de certa composição físico-química do corpo. Isso nos obrigaria a considerar que, mediante uma composição físico-química idêntica, somos determinados a sentir a mesma coisa. Existem aí duas dificuldades.

A primeira é comprovar a objetividade da estrutura físico-química. A objetividade do estímulo recebido pelo corpo, por exemplo, encontra na sensação uma dificuldade de demonstração, pois como saber a sensação sentida por aquele que a sente? Estamos condenados a relatos, mas temos de aceitar que, entre o que sentimos e o que dizemos sobre o que sentimos, há uma imprecisão oceânica.

A segunda dificuldade é que, ante o mesmo estímulo, as pessoas parecem sentir coisas muito diferentes. Consulte os que trabalham com a dor e verá que a sensibilidade a situações idênticas oscila de modo impressionante. Portanto, entre uma situação corpórea concreta e as sensações, existe o abismo do estilo singular, próprio, de sentir dor e prazer.

CALABREZ: Creio que o estudo sobre vinho ensina uma grande lição: nossa experiência de prazer é, em grande medida, fruto de nossas expectativas; estas dependem de inúmeros fatores complexos, tais como cultura, experiências passadas e visão de mundo.

O que sentimos é sem dúvida fruto do encontro de nosso corpo com o mundo. Cada corpo inclui um cérebro, construído a partir da relação entre variáveis biológicas (como os genes) e variáveis ambientais (experiências, cultura, linguagem, nutrição). Nenhum cérebro é igual a outro; isso significa que o mundo afetará cada pessoa de maneiras diferentes. Todavia, existem semelhanças entre as experiências de diferentes pessoas, e é possível extrair critérios objetivos de fenômenos subjetivos.

Um perfeito exemplo é a oftalmologia. O oftalmologista pergunta: "Está vendo as letras?". Após ajustar as lentes, pergunta de novo: "E agora, está vendo melhor ou pior?". A percepção de "melhor" ou "pior" é altamente subjetiva, de acordo com percepções particulares. No entanto, a partir desse fenômeno subjetivo, o médico obtém dados objetivos: o grau das lentes que deverão ser produzidas. A medida objetiva (graus numéricos) é obtida a partir dos dados subjetivos derivados do relato dos pacientes.

As pesquisas científicas sobre fenômenos subjetivos como felicidade, satisfação, prazer são baseadas em princípios semelhantes. Afinal, ainda que meu cérebro seja diferente do seu, ambos são bastante parecidos. Do contrário, as ciências do cérebro – as neurociências – seriam impossíveis. Aliás, se a realidade de cada um fosse completamente diferente, viveríamos em um caos.

Se nenhum de nós é capaz de saber o que é ter outro corpo, outro cérebro, somos todos levados a uma espécie de delírio – o delírio de que os outros pensam e sentem o mundo exatamente como nós. É curioso como costumamos pensar em delírios somente na esfera das doenças, distúrbios e transtornos. Se um sujeito acredita que é o Thor ou que foi abduzido por alienígenas, dizemos que está delirando ou alucinando. Mas o sujeito que nos impõe seu gosto, que acredita que seu vinho é melhor, que seu partido político é melhor, que sua visão de mundo é melhor, não estaria em alguma medida delirando?

O fato de nossas realidades serem sempre diferentes por nossos corpos e nossos encontros com o mundo serem diferentes (ainda que semelhantes) pode levar as pessoas a pensar que tudo é possível. Se a realidade é totalmente maleável, podemos viver a experiência de mundo que quisermos. Basta querer!

Esse é um grande erro. Independentemente da nossa vontade, dos nossos desejos, dos nossos esforços, das nossas diferentes experiências de mundo, independentemente disso tudo, o sol nasce e se põe, as folhas caem no outono. O céu às vezes está azul. Outras vezes, cinza e nublado.

2

O mundo, os desejos
e os prazeres

CLÓVIS: Podemos nos mover no mundo o quanto quisermos, acreditar que somos livres – a ilusão do livre-arbítrio –, mas não se sai de si, não se sai do mundo. Podemos fugir, mas nunca escapar. Por isso o desespero sem fronteiras. Não há nada além da dor.

E o prazer? É quando a dor diminui. Só há prazer quando, por exemplo, diminuímos a dor da fome. Sem fome, não haveria prazer em comer. Sem sede, não haveria o prazer de beber. O prazer do repouso depende do cansaço. Todo prazer depende da dor que circunstancialmente diminui. Como poderia haver uma felicidade eterna, permanente e estável se todo prazer pressupõe a dor que ele apenas reduz?

Nos relacionamos com o mundo pelo desejo. Mas, na lógica do desejo, sempre nos faltará algo. A saciedade apenas indica um novo desejo, uma nova falta. Por essas e outras, não há salvação, não há outro mundo. O mundo é este aqui, com seus desejos e suas dores. O mundo é só o mundo e nada mais. O céu é vazio, nele não há azul, nem deuses, nem anjos. A salvação é esse vazio mesmo. A compreensão da ilusão. A aceitação do desespero.

CALABREZ: O desespero vem da compreensão de que, ainda que nossas realidades sejam particulares, estamos condenados a deparar com uma constante sobre a qual não temos praticamente controle: o mundo.

E não há um manual para desvendar o mundo. Aquilo que hoje nos alegra amanhã pode não alegrar. Às vezes nem sequer sabemos se estamos alegres ou se algo nos está dando prazer. Há coisas que geram prazer e ao mesmo tempo o sofrimento da culpa e do arrependimento – quem já atacou a sobremesa durante a dieta sabe.

CLÓVIS: Prazer é o nome que damos às sensações que gostamos de sentir. Sensações são a interpretação do corpo as transformações que sofre. As transformações acontecem sem parar; assim, sentimos o tempo inteiro. De algumas sensações temos mais consciência do que de outras. Os prazeres são sensações pelas quais lutamos, transformações aprovadas pelo corpo.

Os prazeres não são superiores ou inferiores. O que os diferencia é a intensidade e a longevidade. O que pode variar em qualidade é a causa do prazer; assim, podemos ter prazer por causas mais e menos nobres. São os indivíduos dominantes na sociedade que transformam uma causa de prazer em algo nobre. Por isso não é a mesma coisa sentir prazer ouvindo uma sinfônica ou indo a um baile *funk*. Na verdade, a transformação do corpo é inapelável, as células vibram tanto em um lugar quanto no outro. A diferença é que, com a orquestra, temos o prazer determinado por uma causa autorizada por certo segmento social; no baile *funk*, por outro segmento.

O importante é lembrar sempre que o corpo é "ortopedizado" pela vida em sociedade, pelo pertencimento a uma classe social e a um grupo de pessoas que aplaude certas causas de prazer e vaia outras. Às vezes não basta ter prazer. É preciso ter prazer com o que os outros autorizam.

CALABREZ: A "ortopedização" social do prazer manifesta-se como atividade neurofisiológica distinta. Não é mera frescura. Quando bebe um vinho caro, o sujeito de fato tem uma sensação maior de prazer do que quando bebe um vinho barato. Pode-se igualmente ter maior prazer ao ouvir *funk* do que Mozart. Como neurocientista, tendo a enxergar a arte a partir da visão do cérebro e da mente do indivíduo que contempla uma obra de arte.

Clóvis: A definição de arte pouco mudou ao longo do pensamento. Arte é uma grande ideia codificada, traduzida em símbolos em um pedaço de matéria.

A arte grega é a tradução, na arquitetura e na escultura, da ideia de universo ordenado, harmonioso, simétrico. A arte medieval é a tradução, em grandes vitrais e telas, do esplendor e da criação divinos. E que grande ideia está por trás da arte contemporânea? A ideia de desconstrução, do estilhaçamento do sujeito, de que não somos racionais por completo, do inconsciente que contamina as nossas decisões, de que o sujeito estilhaçado é muito mais emoção do que razão, de que estamos à mercê de fluxos vitais e de afetos que conhecemos pouco.

Para que haja pleno deleite diante de uma obra de arte, você tem que saber qual a grande ideia que lhe confere fundamento e qual a estratégia de simbolização que o artista usou para traduzir tal ideia naquele pedaço de matéria.

CALABREZ: Consigo compreender o historiador da arte que vê menor valor em Romero Britto. O historiador está munido intelectualmente das grandes ideias por trás das obras de arte, compreende as estratégias de simbolização artística. No entanto, isso não diminui o prazer de quem aprecia Romero Britto, *funk* ou sertanejo universitário, comparado a quem aprecia Pollock, Mozart ou Pink Floyd.

O prazer, a atividade neurofisiológica associada ao prazer, é amoral, não tem valor em si; o prazer não é bom ou mau, maior ou menor. O valor é atribuído por nós, pela sociedade. Muitos prazeres são meras convenções sociais, mas seguimos na ilusão de que as convenções sempre estiveram ali. Ou seja, de que o prazer socialmente construído é natural, universal.

Não quero dizer com isso que os desejos socialmente convencionados não são importantes. Desejar escovar os dentes é melhor do que não desejar. Desejar fazer sexo com uma pessoa sem o seu consentimento é abominável. Só que há uma ilusão em crer que Romero Britto ou a banda Calypso são em essência bons ou ruins. Isso são atribuições feitas pelo ser humano – em grande medida, socialmente convencionadas.

Não nego que haja padrões estéticos invariantes, universais. Rostos e corpos simétricos tendem a ser considerados mais belos do que os não simétricos, com pouca variação entre diferentes culturas. No entanto, as obras de Picasso são um ótimo exemplo de uma quebra desse padrão – e são consideradas belíssimas por muitos. Ainda que haja padrões estéticos universais, o espaço de influência das convenções sociais e culturais é grande demais para desejarmos impor nossa preferência aos outros.

CLÓVIS: A obra de arte não é uma ilusão, mas tem muito de ilusório. Não na obra real, não necessariamente no artista, pois ele conhece o trabalho de suas mãos e sabe o sonho que o guiou. A arte é um trabalho antes de ser uma religião, um ofício antes de ser um mistério. Dez por cento de inspiração e noventa por cento de transpiração.

O gênio se torna modesto pelo trabalho, mas o espectador ignora esse labor, e a obra-trabalho se torna obra-milagre. A ilusão nasce da contemplação preguiçosa. A grande ilusão da obra de arte é a objetividade do belo. A beleza é vivida como universal, eterna, absoluta e presente na obra que amamos. Achar que algo é belo não é apenas reconhecer o prazer que ele proporciona a mim. É pretender a objetividade e a universalidade desse prazer. Julgamos a beleza não apenas para nós mesmos, mas também para outrem, como se fosse uma propriedade da coisa contemplada e tivesse que ser flagrada por qualquer um. Aí, sim, algo é belo. Sempre, para qualquer um. Por isso, a beleza da arte nunca é somente uma questão de gosto, porque, se fosse, não seria nada.

CALABREZ: É nesse momento que precisamos da filosofia. Afinal, poderíamos dizer que o desejo e a busca pelo prazer são os mesmos entre cães, chimpanzés e humanos do ponto de vista fisiológico. As estruturas cerebrais associadas à recompensa – motivação e prazer – e sexualidade, por exemplo, são muito semelhantes. Mas há uma diferença.

Animais com cérebros mais complexos, especialmente os humanos, têm cérebros sociais, que se desenvolveram dentro de uma cultura, a partir de um constante diálogo entre genética e ambiente, biologia e sociedade. Assim, o desejo humano não pode ser considerado isoladamente em sua animalidade.

Talvez devamos tentar diferenciar o desejo animalesco do desejo propriamente humano. Talvez tenhamos que dar outro nome a esse desejo humano que vai além das circuitarias cerebrais primitivas que tantas outras espécies apresentam. Precisamos da filosofia para ser mais humanos.

CLÓVIS: Platão diz que o amor é muito importante para a vida. Para Platão, amor é Eros. Em *O banquete*, Sócrates define Eros como sendo desejo: amar é desejar. Você ama aquilo que deseja, ama aquele que deseja, ama na intensidade que deseja. Para Platão, amor e desejo são a mesma coisa.

E o desejo, o que será? Desejo é o que não temos, é a energia canalizada para a busca do que nos faz falta. Amamos o que não temos, amamos o que não somos, amamos o que não conseguimos. Você ama o que deseja e deseja o que não tem. De duas, uma: ou você ama e deseja o que não tem, ou então tem, mas, nesse caso, não ama e não deseja mais.

A lógica do Eros é interessantíssima. As coisas que nos fazem falta acabam merecendo a nossa incrível atenção. As coisas que estão muito à mão, que se oferecem o tempo inteiro, acabam não merecendo nossa atenção nem valor. Parece que estamos o tempo inteiro supervalorizando o que não temos e depreciando o que já conquistamos. Eis aí uma vida divorciada do real, divorciada do mundo, uma vida apenas desejada na fantasia, na quimera. Exemplo de vida ruim. Lógica do Eros, pensamento de Platão.

Haveria uma saída? Platão propõe o que denomina de ascese, de elevação. Em seus diálogos, Platão fala de dois mundos; o primeiro é o mundo das coisas sensíveis, que podemos ver, encontrar, tocar, cheirar; o outro é aquele que alcançamos pelo pensamento, pelo uso da razão, pelas atividades intelectivas. Platão sempre teve desprezo pelas percepções sensoriais. Sempre defendeu a tese de que os sentidos nos enganam e por isso deu enorme primazia às verdades alcançadas pela razão, sem o auxílio dos sentidos, sem a participação do corpo.

O desejo é nossa marca registrada. O desejo é sempre por aquilo que não temos, que não somos e que não conseguimos. Nesse sentido, é ilimitado. Mas também é energia que disponibilizamos para ir atrás do que nos faz falta, e aí é limitado. Afinal, nossa energia tem as fronteiras da finitude do corpo.

Então, o desejo é ambivalente. Ilimitado no seu objeto e limitado na energia para alcançá-lo. Talvez por isso tanta frustração e angústia. Para buscar o ilimitado só dispomos do que tem limite.

Desejo é energia mais objeto. Apetite é só energia sem objeto, sem consciência de si. O apetite é o que nos aproxima do resto dos animais.

A vontade contém o apetite e o desejo, mas é mais do que os dois juntos, pois inclui a reflexão, a ponderação, o julgamento da conveniência do desejo, a análise da pertinência e do valor do objeto do desejo.

O desejo é coisa de célula, se impõe a nós. A vontade mostra a liberdade frente ao nosso corpo desejante. Afinal, nem tudo o que desejamos é certo. São tantas as coisas que gostaríamos de fazer e que decidimos, na vontade, não fazer.

CALABREZ: A distinção entre vontade e desejo é adequada da perspectiva neurofisiológica e psicológica. No cérebro, a manifestação da vontade se dá mediante a negação de desejos. O cérebro pode dizer não aos impulsos afetivos (desejos, emoções e sentimentos), mas não tem o poder de criar tais impulsos de forma racional e voluntária.

A liberdade para escolher caminhos diferentes daquele pelo qual o desejo nos levaria envolve o córtex pré-frontal, cuja atividade está associada à capacidade de imaginar as consequências de algo que estamos fazendo e de inibir processos afetivos, ou seja, sentimentos e emoções. No entanto, essa capacidade é limitada.

Hoje é consenso dentro das ciências da mente e do comportamento (neurociências, psicologia, economia comportamental) que a racionalidade não é o modo de operação padrão do cérebro humano. Isso porque a racionalidade é intimamente ligada a processos emocionais. É como se o cérebro funcionasse a partir de dois sistemas: um mais lento e frio, racional, e outro mais rápido e quente, responsável pelas emoções e hábitos. Muitos neurocientistas preferem os termos *top-down* (de cima para baixo) para os processos lentos e frios e *bottom-up* (de baixo para cima) para os processos rápidos e quentes.

Muita gente acredita que o sistema frio é sempre racional. Isso é um equívoco. Esse sistema pode funcionar como um cientista ou como um advogado criminalista. O cientista vai ao mundo munido de uma hipótese, colhe e analisa evidências e chega a uma conclusão. Já o advogado criminalista chega à conclusão ("meu cliente é inocente") e depois vai ao mundo procurar evidências que a corroborem. Assim, muitas vezes o sistema frio, em vez de ser racional, apenas procura justificativas aparentemente racionais para processos irracionais, afetivos, emocionais.

É interessante ver como as pessoas perseguem, desejam e até idealizam objetos ou maneiras de viver legitimados pela sociedade. Para sustentar isso tudo são criadas justificativas aparentemente racionais.

Por exemplo, a sociedade diz que devemos trabalhar oito horas por dia. Se trabalharmos mais, melhor. Somos condicionados a desejar trabalhar – ou, pelo menos, a desejar o fruto do trabalho, que é o dinheiro. A partir disso, criam-se as justificativas que culminam até em ditado: "Deus ajuda quem cedo madruga", "o trabalho enobrece o homem". Acreditamos que essas são justificativas racionais, mas não são. São tentativas de atribuir racionalidade a um desejo (de dinheiro, crescimento na carreira, etc.). Essa motivação é um afeto, uma emoção e um sentimento socialmente construídos em nossas cabeças.

Quem disse que devemos acordar cedo? Quem disse que devemos trabalhar para sermos "nobres"? Que diabos significa ser "nobre"? Quem disse que devemos investir metade das horas úteis do dia para construir uma carreira ou ganhar dinheiro, para então encontrar a felicidade? Estudos mostram que, a partir de certo nível de renda, a partir da chamada "classe média", o acúmulo de dinheiro deixa de trazer incrementos significativos para nossa satisfação.

Trabalhar muito pode ser ruim para alguns e sinônimo de alegria para outros. O erro está em atribuir universalidade, dizer que o trabalho enobrece todos os homens, que todos devem madrugar.

CLÓVIS: Desde que nascemos, somos bombardeados por discursos. Pouco a pouco, começamos a falar também, participando da poderosa rede de discursos que constitui o tecido social. Aquilo que falamos não é cópia do que ouvimos. Pegamos uma coisa aqui, outra ali e formulamos nossos enunciados. Somos criativos. Aquilo que dizemos é inédito, mas a matéria-prima vem de fora, é dada pela sociedade.

A definição que damos de nós mesmos, os atributos que utilizamos para nos definir também vêm de fora. Aprendemos ouvindo os outros falarem sobre nós. Assim, até o que dizemos sobre nós mesmos, aparentemente oriundo da mais íntima das intimidades, nada mais é do que o resultado de um aprendizado no mundo da vida. Caso você se meta a falar de si coisas com as quais a sociedade não concorda, você pagará um preço caro de escárnio e exclusão.

Na hora de explicar as próprias condutas, o homem muda de critério dependendo do resultado.

Se foi bem-sucedido, explica sua conduta pela livre escolha, pela liberdade de definir os meios adequados para os fins desejados. Quando fracassa, atribui sua conduta a variáveis externas que não pode controlar. Desaparece a liberdade, a condição de escolher o melhor meio para o melhor fim, e entra em cena o que se chama de determinismo. O homem imputa as razões pelas quais agiu mal ao tempo, ao clima, ao comportamento do outro, às instituições, ao sistema.

A liberdade, a livre escolha e a adequação inteligente de meios são coisas de quem se deu bem, mas a atribuição a fatores externos que não se pode controlar é coisa de quem se deu mal. E, quando você nega a própria liberdade, nega a própria escolha, nega a possibilidade de ter feito diferente. A isso denominamos má-fé, artifício de fracassados.

CALABREZ: Discursos convenientes são obra do nosso sistema frio agindo como advogado criminalista.

Essa reflexão me leva a um dos temas que acho mais interessantes dentro das ciências da mente: a consistência cognitiva (ou consistência psicológica).

Sempre pergunto às pessoas: "O que é mais fácil mudar: uma crença ou um comportamento?". A maioria responde na lata: "Um comportamento". Em seguida eu pergunto: "Então o que é mais fácil: você começar a dieta nesse instante ou crer piamente que começará a dieta na semana que vem?". Aí você percebe que mudamos crenças com enorme facilidade.

Imagine que nossa mente é como um computador com diversas pastas – "trabalho", "família", "lazer", por exemplo. A mente buscará fazer com que os conteúdos dessas pastas sejam consistentes, evitará inconsistências a todo custo. Inconsistências nada mais são do que informações conflitantes dentro da pasta, informações que se contradizem. Os cientistas chamam essas inconsistências de "dissonâncias cognitivas" desde os anos 1970.

O mecanismo de manutenção de consistência entrará em ação sempre que surgirem dissonâncias. E se mostrará tão mais presente quanto mais difícil for corrigir a inconsistência por meio de ações.

Imagine uma pessoa que acabou de levar um pé na bunda. Surgem em sua mente ideias do tipo "Tudo tem um motivo para acontecer", "eu já sabia que não ia dar certo", "fulano não me merecia", "agora posso encontrar uma pessoa melhor". As ideias aparecem espontaneamente, é um processo automático, inconsciente. Tudo porque levar um pé na bunda produziu inconsistência psicológica, e a mente não suporta inconsistências.

Por que as pessoas usam discursos de liberdade quando têm sucesso e discursos deterministas e fatalistas quando fracassam?

Primeiro, é preciso compreender que costumamos ter uma visão deturpada de nós mesmos. Diversos estudos mostram que os seres humanos tendem a acreditar que são mais inteligentes, competentes, honestos e bonitos do que de fato são. Imagine o impacto psicológico de olhar no espelho e dizer para si mesmo: "Meu fracasso é fruto de minhas escolhas livres". Ou: "Sou responsável pelo meu fracasso".

Isso produziria uma enorme inconsistência. O fracasso já ocorreu, não há o que fazer, não há ações que consigam corrigir essa inconsistência. Por isso produzimos uma crença: a culpa não foi nossa, não poderíamos ter feito nada diferente, fatores totalmente fora de nosso controle foram responsáveis pelo nosso fracasso.

Já que falei de relacionamentos românticos, vou levantar uma questão. Se para Platão desejo é Eros, só ocorre na falta, de modo que, quando obtemos o que desejamos, já não desejamos mais, como explicar o uso da expressão "erótico" para designar o prazer sexual? Parece-me que, durante o prazer sexual, erótico, desejamos permanência, que dure mais.

Clóvis: Falarei sobre a expressão "prazer erótico", aparentemente contraditória. O prazer é o contrário do desejo. Prazer precisa da presença, e desejo precisa da falta. Porém, é possível pensar no prazer de um mundo encontrado que já fora desejado no passado. Prazer erótico indica uma falta que se resolve na presença. É o que você gostaria de encontrar e encontrou. Gostaria de ter e teve. Gostaria de fazer e fez.

Existem prazeres que não são eróticos, que não foram desejados no passado. Por exemplo, você encontra alguém ou alguma coisa que lhe dá prazer, mas que jamais havia desejado. Existem desejos que resistem na falta e nunca viram presença. Por isso se diz que o prazer é o suicídio do desejo. O desejo que precisa da falta busca a presença que o destrói.

Calabrez: Do ponto de vista científico, podemos fazer a distinção entre a busca pelo objeto de prazer e o prazer em si. A busca pelo objeto de prazer é chamada de motivação. Um estímulo motivador produz uma inclinação a *fazer mais daquilo que estamos fazendo*.

Imagine-se com fome. Você come uma batata frita, e qual é a inclinação imediata? Comer batata frita até ficar satisfeito. Ou seja, fazer mais do que estava fazendo. Isso pode ocorrer com todo tipo de estímulo: um projeto profissional, um livro interessante, sexo. Já o prazer de fato é a sensação subjetiva associada ao estímulo. No caso da batata, a experiência do sabor.

Motivação e prazer são referidos de forma simultânea sob o termo "recompensa". Existem recompensas intrínsecas e extrínsecas.

As recompensas intrínsecas mais comuns são água, alimentos, sexo, conforto e carinho. A recompensa perante os estímulos intrínsecos costuma nascer conosco e com uma série de animais. A sociedade refinará nossas preferências.

As recompensas extrínsecas decorrem do processo de aprendizagem. Um perfeito exemplo é o dinheiro. O ganho de dinheiro é altamente recompensador. No entanto, dinheiro não é um estímulo intrinsecamente recompensador. Torna-se recompensador por associações que aprendemos em sociedade (dinheiro e maior número de parceiros sexuais ou dinheiro e felicidade, por exemplo). Poderíamos dar outros exemplos: objetos de consumo, diplomas e títulos acadêmicos, curtidas e seguidores nas redes sociais, e por aí vai.

3

Filosofia estoica

CLÓVIS: Teoria em grego quer dizer "contemplação do divino". Para os filósofos estoicos, é o conhecimento do mundo. E o mundo, para eles, é comparável a um organismo vivo. Aqui duas questões se destacam. A primeira é que todo organismo vivo é constituído por partes agenciadas entre si para compor o todo. A segunda é que cada parte é feita do melhor jeito possível para cumprir a sua função. Então, nada mais adequado para enxergar do que o olho, nada mais perfeito para respirar do que o pulmão.

Uma ideia muito cara aos estoicos é a de que a natureza é uma forma de perfeição do ser com vistas a certa finalidade. E essa finalidade é a de cada parte que compõe o todo. O todo é o próprio divino. Por isso, a contemplação do divino é a contemplação do todo na sua maravilhosa perfeição.

A primeira ideia propriamente filosófica da escola dos estoicos é o radical determinismo de todas as ocorrências. Tudo o que acontece tem causas que o determinam. Isso significa que as coisas só poderiam acontecer do jeito que acontecem e que não existe espaço para sorte, azar, acaso, contingência.

Os estoicos acreditavam que pensar em sorte, em azar, em que poderia ser diferente é resultado da ignorância das causas que incidem sobre uma ocorrência. Se você de fato conhecer as causas, saberá antecipadamente quais seus efeitos. O determinismo radical dos estoicos os leva a uma filosofia de destino, de previsão, de antecipação.

A capacidade cartomântica de prever o futuro entre os estoicos é uma espécie de hiper-racionalismo, de confiança absurda na razão, pois as causas do futuro estão rodando por aqui. Se soubermos diagnosticá-las, interpretá-las, poderemos conhecer seus efeitos por antecipação. Por isso um indivíduo verdadeiramente sábio não é só aquele que não se surpreende com o mundo quando ele acontece, mas aquele capaz de antecipar o que vai acontecer, diagnosticando as relações causais que determinarão o que está por vir.

Um dos maiores estoicos é Marco Aurélio, um grande imperador romano e filósofo. Marco Aurélio observa que, se contemplarmos o mundo de muito perto, teremos pequenos fragmentos que poderão parecer feios, nojentos. Mas o mundo só parecerá feio por conta do nosso recorte, da perspectiva fragmentada, da nossa incapacidade de contemplar o todo. Se olharmos o mundo de um pouco mais longe, perceberemos que qualquer coisa é maravilhosa. Tudo que você puder ver é maravilhoso porque está inscrito em um mundo maravilhoso.

O exemplo de Marco Aurélio é a baba do javali. Se você olhar de perto, a baba é nojenta. Mas, se for recuando e começar a entender a função da baba, como o javali a utiliza para se relacionar com outros javalis, você perceberá que a baba não é tão feia assim. Pelo contrário. Não há nada que supere a baba do javali na hora de ajudá-lo a xavecar outro javali. A beleza do mundo tem que ser entendida a partir do todo, em função do todo. Aí então cada coisa encontrará, por conta do todo e da presença no todo, a sua beleza.

Ou você se entende como pertencendo a uma ordem harmoniosa, bela, justa, ajustada, na qual você é uma peça e uma parte, e as partes só têm beleza enquanto partes porque fazem parte de um todo maior, ou você continuará com perspectivas fragmentadas do mundo, e o mundo nunca lhe parecerá nem belo, nem justo, nem harmonioso, nem bom. E aí é claro que faz toda a diferença acreditar viver em um mundo fechadinho, redondo, harmônico e belo ou acreditar viver em um mundo que é uma zona, caótico, conflituoso, feio, medonho, baboso, fedido, nojento.

A sabedoria dos estoicos parte da compreensão de que o universo é maravilhoso. Essa é a teoria. A ciência só será boa se nos permitir entender o funcionamento do todo. Claro que a ciência estudará as partes, estudará o pequeno, estudará o fragmentado. Mas só será boa se, a partir desse estudo, ajudar a entender o todo do universo, a ordem cósmica que é o terreno em que jogamos o estranho jogo da vida.

Qual é a graça e a importância dessa reflexão? Simples: que o todo não se deixa flagrar pelos sentidos. O todo do mundo, o cosmos, só se deixa entender pela razão. Você só irá compreender e achar a baba do javali bonita se inseri-la em um todo que só tem existência para você na razão, na inteligência, na imaginação, e nunca na percepção sensorial. O mundo, por mais finito que seja, com começo, meio e fim, não se deixa apreender pelos sentidos.

Se a beleza das coisas depende do posicionamento delas no mundo, porque elas participam de um todo que é belo, justo e harmonioso, a beleza só é definitivamente capturada quando inserida em uma realidade que é pensada, cogitada, imaginada e que, portanto, é coisa da razão. Se você não tiver inteligência e razão para entender o mundo como cósmico, integrado e harmônico, não terá condição de perceber a beleza das coisas que fazem parte dele, pois essa beleza só se deixa entender quando situada num todo que é ele mesmo pensado, cogitado e imaginado.

Vamos imaginar que você me encontre. O que você vê? Um sujeito careca, pançudinho, um pouco desengonçado, corcunda. Se você olhar só para mim, terá um desgosto. Mas Marco Aurélio me ajuda, mandando-o me colocar no contexto cósmico imaginado por você. Aí o mundo é lindo, eu faço parte do mundo, sem mim o mundo não existe; portanto, trate de me achar bonito. Eu não valho por mim, mas valho como parte de uma beleza universal.

Outro grande filósofo da fase romana dos estoicos é Epicteto. Contemporâneo de Jesus, era escravo, não sabia escrever, e aquilo que você lê como livro de Epicteto não foi ele quem escreveu. Ele dava aulas e tinha gente graúda que sabia escrever, que assistia a suas aulas e anotava seus dizeres, o que deu origem ao livro chamado *Manual*.

Veja que bacana: Marco Aurélio imperador. Epicteto escravo. Eis o time dos estoicos romanos.

Qual a mais curiosa, importante e conhecida ideia de Epicteto? Existem dois tipos de situações na vida, muito diferentes uma da outra: aquilo que depende de você e aquilo que não depende de você. É muito importante saber distinguir aquilo que depende daquilo que não depende de você. Porque, em relação àquilo que depende de você, você tem que dar tudo, fazer o melhor possível, tem que se esmerar e gastar todas as suas energias. Agora, no que não depende de você, não adianta gastar um tostão.

Vamos imaginar que você esteja em um aeroporto de meteorologia incerta. O avião levanta voo somente se as condições climáticas estiverem boas. Você fica angustiado, tem compromisso, mas não depende de você. Por outro lado, chegar no horário, tomar cuidado para que possa antecipar algum contratempo, isso, sim, depende de você. Elaborar um plano B para o caso de o avião não decolar depende de você.

Epicteto diz que algumas coisas dependem de você. Como o desejo, por exemplo. A parte do desejo que depende de você é o objeto, porque o desejo é constituído de uma energia vital, uma espécie de inclinação para o mundo, mais alguma coisa que passa pela sua cabeça, que é aquilo que você deseja. O objeto do desejo depende de você.

Outra coisa que depende de você é a qualidade de seus julgamentos, das suas avaliações. Também a competência para informar-se a respeito das coisas, ter conhecimento das coisas do mundo. As coisas que dependem de você têm muito a ver com a sua cabeça, sua inteligência e sua razão.

O que não depende de você? Primeiro, as coisas do mundo que você não controla. Segundo, as coisas do seu corpo que você também não controla. A parte afetiva relacionada a alegrias e tristezas em grande medida acontece sem que você possa controlar.

Para os estoicos, a coisa de atrair-se pelo mundo ou de rechaçá-lo, gostar e não gostar, é tudo escolha. Você que tire suas conclusões. Pessoalmente nem consigo entender isso de aversões e atrações serem uma escolha. Na minha concepção, tudo menos isso.

Então, aquilo que passa pela nossa cabeça resulta de uma liberdade da atividade de pensar, mas essa liberdade é estritamente interior e não tem nenhuma consequência no mundo prático, no mundo fora de nós. Pensamos livremente, mas agimos como só poderíamos agir para fazer parte do encadeamento causal que é o mundo da natureza.

Meu amigo, essa é uma pirueta difícil de engolir. Afinal, se tudo no mundo é do jeito que é – o vento venta, a maré mareia, o gato gateia –, por que nossa mente, nossa inteligência, também não funcionaria assim? Por que nossa inteligência não pensaria a única coisa que poderia pensar? Por que só o nosso pensamento seria diferente e sujeito a essa liberdade interior? Será que não chamamos de liberdade de pensar a nossa ignorância sobre as condições do nosso pensamento, as condições materiais de produção dos nossos juízos? Será que não é a nossa ignorância que nos faz acreditar nessa liberdade?

Chupa essa manga, meu amigo. Somos livres só para pensar. Na hora de estar no mundo, somos rigorosamente determinados pelas causalidades materiais que nos fazem ser e existir como só poderíamos ser e existir.

Para os estoicos, o belo é necessariamente também o justo e o bom. Justiça, bondade e beleza são três perspectivas da mesma coisa. Não há a menor possibilidade de haver justiça na feiura ou beleza na injustiça porque, no final das contas, a referência para o belo, o bom e o justo é a mesma. É o cosmos.

Pensando desse jeito, faz sentido. Mas, cá entre nós, será que essa correspondência entre beleza, bondade e justiça coincide com a nossa experiência?

Normalmente, os heróis de Hollywood, os galãs bondosos, justiceiros, generosos e que reconstituem a harmonia das coisas também são bonitos. Essa é a nossa experiência na ficção cinematográfica. E no mundo da vida, fora da ficção?

Aí podemos encontrar uma total falta de correspondência, um desalinhamento radical entre o que chamamos de belo e atrativo com aquilo que é justo e bom. Por essas e por outras, temos que admitir que essa referência cósmica dos estoicos já não faz sentido para nós. Mas aqui a palavra é deles, e, na concepção deles, beleza, justiça e bondade são três perspectivas correspondentes da mesma coisa. A imensa referência do todo universal finito, ordenado e harmonioso.

4

Filosofia estoica x filosofia contemporânea

CLÓVIS: Hoje a filosofia é um conjunto de ideias e escritas que se materializam em discursos que geram mais discursos e se enfrentam em debate. A verdade é que quem hoje se interessa por filosofia está confinado a pensar sobre algumas ideias e mostrá-las por meio de palavras.

Para os estoicos, filosofia tinha tudo a ver com prática. A inteligência estava a serviço de uma vida de carne e osso mais feliz, menos amedrontada, menos angustiada. E uma das coisas que eles achavam que perturbavam demais a nossa vida é dar bola para os outros e para o que pensam de nós.

Por que a filosofia se tornou um compêndio de tratados e ideias que pouco ou nada têm a ver com a vida cotidiana? Porque entre os estoicos e nós houve séculos de pensamento dominado por discípulos que reivindicaram a discussão sobre a vida para si, para a teologia, para os ensinamentos de Deus e dos profetas. Eles tiraram da filosofia a reflexão.

Se isso é bom ou ruim, não me pergunte. Mas a filosofia foi limitada a uma discussão conceitual, distante da felicidade, distante da vida boa, da salvação – distante, portanto, de todas as preocupações que antes eram filosóficas.

5

Naturalismo poético

CALABREZ: Não existe no universo um negócio chamado "conhecimento", com substância própria ou composto de elementos da tabela periódica. O conhecimento não tem matéria, nem energia, nem realidade física. Não está em algum lugar do universo esperando que os seres humanos o capturem, aprisionem e compreendam. O conhecimento é uma construção, uma produção humana.

Prótons, nêutrons e elétrons, *quarks* são dados *a priori* do mundo, fundamentos da natureza (de acordo com o que sabemos hoje). Conhecimento é como descrevemos esses dados e os integramos em uma ou mais visões de como o mundo funciona.

Como toda produção humana, o conhecimento será influenciado por tudo aquilo que é humano. Apesar da imperfeição e falibilidade inerentes a todo empreendimento humano, os pensadores da Antiguidade, da Idade Média, da Renascença, da Modernidade, os contemporâneos (que alguns chamam de pós-modernos), todos eles foram orientados por uma intenção: explicar como as coisas funcionam.

O pensamento humano sempre irá *falar sobre as coisas*. Criar discursos. Criar formas de falar sobre as coisas do mundo para explicá-las.

Esses jeitos de falar sobre as coisas são múltiplos. Mas são regidos, pelo menos na história do pensamento racional, por algumas grandes regras.

A primeira regra é que nem todos os jeitos de falar sobre o mundo são iguais. Há jeitos melhores e há jeitos piores. Os jeitos melhores são úteis, consistentes entre si e consistentes com o mundo. Os jeitos piores são não úteis, são "errados" ou "falsos", não são consistentes com os jeitos melhores e não são consistentes com o mundo.

A segunda regra é que nossos propósitos *no momento da explicação* determinam o melhor jeito de falar sobre o mundo. Antes da revolução copernicana, o jeito de falar sobre o mundo era o modelo aristotélico-ptolomaico. Com a revolução houve avanços tecnológicos em telescópios e o desenvolvimento de cálculos matemáticos mais precisos, que culminaram com a mecânica newtoniana. Séculos depois, surge o modelo de Albert Einstein. A mesma coisa vem acontecendo com a teoria quântica mais recentemente.

Enxergamos os mesmos movimentos na biologia. A biologia aristotélica foi o paradigma dominante nas ciências naturais por dois milênios, o melhor jeito de explicar as diferentes formas de vida na Terra.

Quando surgem Darwin e as ideias de ancestrais comuns e seleção natural, bem como as primeiras teorias genéticas com Gregor Mendel, a biologia aristotélica dá lugar à biologia evolutiva, que permanece até hoje um dos paradigmas mais relevantes dentro das ciências biológicas.

No entanto, dois bons jeitos de falar sobre o mundo hoje – teoria quântica e biologia evolutiva – são fundamentalmente diferentes.

Se eu perguntar para um físico o que é um cérebro, ele pode responder: "Uma coleção de partículas elementares que obedecem às leis naturais e imutáveis da física". Está errado? Claro que não. Mas, nesse contexto, neste *momento da explicação*, não é o melhor jeito de falar sobre o mundo. Aqui é mais útil, mais coerente dizer que o cérebro é o órgão central do sistema nervoso em todos os vertebrados (e muitos invertebrados), operando como uma máquina biocomputacional que evoluiu de acordo com o processo de seleção natural para que os organismos respondam de formas biologicamente mais vantajosas aos desafios impostos pela natureza, garantindo maior probabilidade de sobrevivência e procriação.

Podemos dizer que essa é uma perspectiva *poética* de entendimento do mundo, pois admite múltiplas formas de falar sobre ele. Formas mais ou menos úteis dependendo do contexto, do momento da explicação.

Com os progressivos avanços científicos desde a Modernidade, acumulam-se evidências daquilo que é conhecido como "naturalismo". Não é uma visão nova. Alguns pensadores pré-socráticos podem ser considerados os primeiros naturalistas do Ocidente. Aristóteles apresenta fortes características de naturalismo em seus pensamentos. O estoicismo é talvez a escola filosófica da Antiguidade que mais se aproxima do naturalismo tal como o entendemos hoje. O pensamento do grande filósofo Baruch Spinoza, do século 17, é considerado por muitos um exemplo de naturalismo. Na pós-modernidade filosófica, Nietzsche pode ser considerado um naturalista.

O naturalismo é hoje o *modus operandi* padrão da ciência. *Todos* os grandes paradigmas científicos vigentes são naturalistas. O que significa "naturalismo" hoje? Três coisas. Primeira, que só somos capazes de compreender um mundo: o mundo natural. Segunda, que o mundo evolui de acordo com padrões inquebráveis: as leis da natureza. Terceira, que a única forma confiável de aprender sobre como o mundo funciona é observando seu funcionamento. Essa observação do não é meramente passiva; muitas vezes, exige posturas ativas, como intrincados experimentos científicos.

As ideias de Albert Einstein, Carl Sagan, Lawrence Krauss, Leonard Mlodinow, Michio Kaku, Neil deGrasse Tyson e Stephen Hawking são naturalistas. Recomendo ao leitor que procure textos, vídeos e livros desses grandes pensadores. Com exceção de

Einstein, os demais conseguem explicar de maneira não tão complexa – mas extremamente elegante e profunda – algumas das descobertas mais fantásticas da cosmologia contemporânea. Recomendo também a série de TV *Cosmos*. Há uma versão antiga, apresentada por uma das figuras mais carismáticas da história da ciência, o astrofísico e cosmólogo Carl Sagan, e uma atualizada, igualmente excelente, apresentada pelo célebre Neil deGrasse Tyson, também astrofísico e cosmólogo.

A perspectiva naturalista de entendimento do mundo aliada à perspectiva poética dos muitos possíveis jeitos de falar sobre o mundo compõem a postura filosófica chamada "naturalismo poético", proposta pelo físico e cosmólogo norte-americano Sean Carroll.

Ainda que haja muitos naturalistas ateus, há aqueles que não acreditam em interferências sobrenaturais (ou seja, o universo é estritamente regido pelas leis naturais), mas que acreditam na existência de uma força superior por trás da complexidade absurda e maravilhosa que rege o cosmos. Essa postura é conhecida como deísmo. E há aqueles que não conseguem encontrar outra explicação para tamanha complexidade a não ser um Deus criador.

À primeira vista, visões naturalistas e fé em Deus parecem mutuamente excludentes. No entanto, existem exemplos, tanto na ciência quanto fora dela, de indivíduos que integraram ambas em suas vidas. Galileu Galilei e Isaac Newton são dois pensadores que fizeram isso.

6

Um pálido ponto azul

CALABREZ: A postura científica não busca trazer verdades absolutas. As verdades científicas são provisórias. São a melhor explicação que temos para um fenômeno naquele momento.

Vivemos em um universo *repleto* de mistérios. Há tantas coisas que não sabemos, tantas coisas que talvez nunca saibamos. Gosto muito da alegoria da "ilha do conhecimento" proposta pelo físico Marcelo Gleiser. Vivemos em uma ilha onde o conhecimento se acumula. O oceano ao redor representa nossa ignorância. A ilha cresce, pois acumulamos cada vez mais conhecimento. Acontece que, quanto maior a ilha, maior o tamanho de suas fronteiras. E isso aumenta o contato da ilha com o oceano de ignorância. O aumento de conhecimento acarreta um aumento da *consciência que temos de nossa ignorância*.

Admitir nossa ignorância nos permite a humildade para virar a página e recomeçar, abandonando visões de mundo obsoletas ou admitindo que estávamos errados desde o princípio.

Somos limitados pelas ferramentas e teorias do momento em que vivemos. Mas somos limitados sobretudo pela aparelhagem cognitiva humana. Nosso cérebro é uma máquina. Inevitavelmente há coisas que ele não será capaz de compreender.

Nosso Sol, fonte de nossa energia e da vida, é apenas uma entre cem bilhões de estrelas que ocupam nossa galáxia, a Via Láctea. Até 2016, os cientistas estimavam que o universo observável continha entre

100 e 200 bilhões de galáxias. Após novas observações do telescópio Hubble, o número aumentou dois trilhões. Isso é o universo observável. Há partes do universo que ainda não somos capazes de enxergar.

Em meio a essa imensidão indescritível, existe um pequeno planeta azul. Nosso jovem planeta, com 4,5 bilhões de anos. Afinal, o *Big Bang* ocorreu há 13,8 bilhões de anos. Neste planeta, em um momento específico do cosmos, devido a uma série de eventos altamente improváveis, surgiu algo chamado "vida". É um momento fugaz, pois um dia não haverá mais vida. Não haverá mais passado e futuro. Estrelas morrerão, e buracos negros evaporarão.

Mas, nesse momento especial e passageiro, a vida é possível. Mais do que isso, a vida inteligente é possível. Consciência e autoconsciência são possíveis. Seres humanos – uma espécie que tem duzentos mil anos. Parece muito para quem vive míseros cem anos, mas quase nada perante a vastidão do cosmos.

E aqui estamos eu e você, refletindo sobre essas coisas incríveis com um cérebro capaz de apreciar a elegância do cosmos. Um cérebro capaz de contemplar e compreender a vastidão complexa do universo. Um cérebro que consegue filosofar sobre a existência e pensar sobre si, tentando entender como nós funcionamos. Um cérebro que permite, acima de tudo, que sejamos capazes de amanhã construir um mundo melhor do que este que temos hoje.

Além de humildes, devemos ser agradecidos. Isso é uma dádiva que nos foi dada pela natureza, talvez a maior das bênçãos dentro da natureza atual. Alguns irão agradecer a Deus, outros aos deuses, às deusas ou à própria natureza.

Seja agradecido, leitor. Pois você está vivo e tem um cérebro que, sem sombra de dúvida, é a máquina mais complexa do universo conhecido.

Se isso não é sagrado, não sei o que seria.

7

O cérebro humano

CALABREZ: Caso você segurasse um cérebro humano, garanto que não ficaria impressionado. Um bolo de carne de 1,2 a 1,3 quilograma, cabe na palma da mão. Textura meio gelatinosa, meio esponjosa. Uma espécie de queijo tofu, porém mais firme.

Apesar de compor em média 2% da massa corpórea de um ser humano, o cérebro consome cerca de 25% de sua energia. O cérebro é composto por diversos tipos de células, mas as maiores responsáveis pelas funções cerebrais são os neurônios.

O cérebro tem em média 86 bilhões de neurônios, que recebem e transmitem informações entre si. Cada neurônio realiza entre mil e dez mil conexões com outros neurônios. Essas conexões ocorrem em pontos de contato chamados sinapses. São 86 bilhões de neurônios e de mil a dez mil sinapses por neurônio, ou seja, *entre 86 e 860 trilhões de sinapses em um cérebro humano.*

É graças ao funcionamento do seu cérebro que você está lendo estas palavras e compreendendo o que significam. Seus pensamentos, planos e sonhos para o futuro, assim como seus afetos, memórias e experiências, tudo emerge de padrões elétricos, químicos e magnéticos fantasticamente complexos que ocorrem no cérebro.

Quando seu cérebro é alterado, você é alterado. O uso de álcool e outras drogas é um perfeito exemplo disso. Há casos mais contundentes: uma pequena lesão cerebral é capaz de mudar totalmente sua personalidade. Isso não ocorre se você danificar qualquer outra parte do corpo. Se você já desmaiou ou passou por anestesia geral, teve a experiência de um mundo que se desligou. Porque, de certa forma, a aparelhagem que produz sua experiência consciente de mundo foi desligada. A atividade do seu cérebro é responsável por quem você é e pela construção da realidade em que vive.

O mundo não é triste. Não é alegre. Não é difícil, não é belo, não é estressante ou não é amedrontador. *O mundo simplesmente é*. Uma coleção de matéria e energia dançando ao ritmo das "leis naturais". Os valores do mundo são produção de nosso cérebro.

Um dia, ao sair do trabalho, o mundo está estressante. Duas cervejas depois, eis que o mundo se torna menos estressante. O mundo continuou o mesmo. O que mudou foi o cérebro.

Um cérebro, uma vida. Altos e baixos. Amor, ódio. Momentos alegres, sorrisos, risadas de doer a barriga. Tristezas, angústias, lágrimas, dias em que não dá vontade de sair da cama. Preguiça de ir ao trabalho, empolgação com uma notícia boa, saudade do abraço de alguém. Algumas certezas, muitas dúvidas. Curiosidade, reflexões profundas e indagações existenciais. Tudo em 1,3 quilograma que cabe na palma da mão.

Nosso pequeno cérebro é um gigantesco cosmos dentro do cosmos. Ou seria o contrário? Afinal, não existiria a ideia de cosmos se não houvesse cérebros humanos. Poderíamos dizer que na verdade é o universo que vive dentro desse cosmos fantástico chamado cérebro. Entendê-lo é compreender a nós mesmos. Passear pelo cérebro é visitar as raízes de quem somos. Jornada importante. Talvez essencial para uma vida plenamente humana.

8

Nascer e crescer

CALABREZ: Uma girafa consegue ficar em pé pouco depois de nascer. Uma zebra é capaz de correr 45 minutos após o nascimento. Golfinhos já nascem nadando. O bebê da espécie humana é o mais frágil entre os mamíferos. Levamos um ano para conseguir andar. Mais cerca de três anos para articular pensamentos que permitam uma comunicação mais ou menos eficiente. Muitos outros anos mais até que possamos nos reproduzir e viver por conta própria. Nascemos totalmente dependentes das pessoas ao nosso redor. Nascemos com o cérebro incompleto, o que parece uma enorme desvantagem.

Um cérebro que nasce "pronto" ou "semipronto" sem dúvida é capaz de se virar sozinho mais rápido. Isso é ótimo para a sobrevivência do animal em seu nicho ecológico. Mas tem um preço enorme: adaptabilidade. Tire o animal de seu nicho, e ele terá grandes dificuldades de se adaptar e sobreviver.

Em contrapartida, seres humanos têm uma grande capacidade de adaptação. Conseguimos sobreviver nos mais variados ambientes ecológicos. Isso só é possível porque nascemos com um cérebro "incompleto", que vem com menos coisas pré-programadas, permitindo moldar-se de acordo com as experiências.

Nada é fruto exclusivo da nossa natureza, da nossa biologia, dos nossos genes. E nada é fruto exclusivo das nossas escolhas, das experiências que vivemos, do ambiente (social, cultural) no qual nascemos. Tudo é uma relação entre biologia e experiência.

Os neurônios no cérebro do bebê humano estabelecem novas conexões em uma velocidade estonteante – cerca de dois milhões de novas sinapses a cada segundo. O cérebro de uma criança de dois anos de idade tem aproximadamente o dobro de sinapses de um cérebro adulto. Nesse momento, a explosão de novas conexões dá lugar a um processo chamado "poda sináptica". Sinapses úteis, que participam de fato de circuitos cerebrais, são mantidas e reforçadas. Sinapses não utilizadas são descartadas.

De certa forma, o cérebro que temos hoje foi lapidado a partir de possibilidades que já se encontravam nele quando tínhamos poucos anos de idade. Do ponto de vista do cérebro, o que somos hoje é em grande medida definido pelo que foi removido – e não pelo que foi adicionado.

Ao longo da infância, o cérebro adapta-se para interagir de forma mais eficiente com os aspectos fundamentais do ambiente no qual crescemos, como a linguagem. O princípio é simples. Ao nascer, uma criança ouvirá e responderá igualmente aos sons de quaisquer idiomas. Com o passar do tempo, a habilidade de ouvir sons particulares do idioma nativo será aprimorada, enquanto a habilidade de ouvir sons diferentes do idioma nativo se tornará pior.

Todavia, nada impede que aprendamos novos idiomas mesmo depois de adultos. Isso se aplica a *qualquer tipo de aprendizado*. O cérebro humano é capaz de refinar as conexões – criando, reforçando, afrouxando e abandonando sinapses. Essa maleabilidade é chamada de "neuroplasticidade".

Costumamos dizer que o cérebro é plástico, não para de se desenvolver até o último dia de vida. A plasticidade do cérebro é extrema nos três primeiros anos de vida (incluindo o período intrauterino), e ele continua muito maleável durante a infância. Na adolescência, a maleabilidade é reduzida; entre os 20 e 25 anos de idade, o cérebro atinge seu estágio maduro, com níveis de plasticidade que permanecem relativamente estáveis pelo restante da vida adulta.

A incompletude neural da espécie humana no nascimento é acompanhada por duas características:

💎 PRIMEIRA: somos uma espécie altamente social.

Ao nascer, mamíferos são incapazes de cuidar das necessidades fisiológicas básicas, como alimentação e segurança. Isso é especialmente sério para os humanos. *Nossa principal necessidade é social.* Precisamos do apoio, do carinho e da segurança de outros humanos. Sem isso, morremos nos primeiros dias. Dada essa condição, a prioridade do cérebro humano é pensar sobre outras pessoas, sobre a vida social.

Em termos de sobrevivência, o ser humano é fisicamente meia-boca? Sim. Contudo, conseguimos nos unir e, por meio de uma união flexível e adaptável (que requer grande inteligência), resolvemos problemas inimagináveis para qualquer outra espécie.

💎 SEGUNDA: os primeiros anos de vida são determinantes – para o bem ou para o mal.

Na psicologia, a "teoria do apego" (ou "teoria da vinculação") vem demonstrando desde os anos 1950 que o recém-nascido precisa desenvolver um relacionamento próximo (que envolve contato, carinho, amparo físico e afetivo) com pelo menos um cuidador primário. Sem isso, seu desenvolvimento social e emocional não ocorre normalmente.

O cuidador primário costuma ser a mãe biológica. Mas não necessariamente. Nosso desenvolvimento cultural permite remodelarmos as estruturas familiares. Pais, avós, tios e outros sem vínculo genético podem ser cuidadores primários.

Crianças que são adotadas e removidas de orfanatos, passando a receber carinho e apoio de forma saudável, tendem a se recuperar em diferentes graus. Quanto mais nova a criança, melhor a recuperação. Lembre-se das janelas de neuroplasticidade.

E antes disso? Qual é o papel do desenvolvimento intrauterino? Ao que tudo indica, o corpo do feto – e isso inclui o cérebro – está se adaptando ao mundo em que nascerá. A ideia é nascer o mais apto possível para sobreviver. Como o bebê faz isso? Capturando informações do corpo da mãe.

Quando pensamos em desenvolvimento intrauterino, geralmente nos vem a ideia de colocar fones de ouvido na barriga da mãe para que o filho ouça Mozart. Mas a coisa é muito mais profunda e visceral. Por exemplo, se a mãe estiver desnutrida e ingerindo baixas quantidades de calorias, o feto se desenvolverá de modo a viver da melhor forma possível em um mundo carente de nutrientes.

A importância do período intrauterino é crítica. Todos sabem mais ou menos do prejuízo acarretado pelo consumo de drogas – incluindo cigarro e álcool – durante a gravidez. Mas *tudo o que ocorre no corpo da mãe é vivido em alguma medida pelo feto.*

Sabemos que estresse, depressão e ansiedade durante a gravidez aumentam o risco de uma série de problemas para o desenvolvimento neurocomportamental do feto – que por sua vez acarretam um risco aumentado de prejuízos para a saúde ao longo da vida da criança e do adulto que será formado. Os primeiros anos de vida são fundamentais para aquilo que seremos na vida adulta. E o período na barriga de nossa mãe não está apenas incluso nessa janela de desenvolvimento – ele é absolutamente crítico.

Cuide do seu filho. Isso inclui carinho, amparo emocional e material. Inclui também proporcionar um desenvolvimento saudável, potencializado por uma alimentação adequada, atividade física regular, sono de qualidade, tempo para descansar, brincar, explorar o mundo, e uma vida social ativa.

Dar alimentos com açúcar para uma criança antes dos três anos de idade, do ponto de vista do cérebro, deveria ser considerado crime. O mesmo pode se dizer do sal. Depois disso, até os oito anos, mais ou menos, ainda é altamente recomendado não dar alimentos com açúcar artificial.

Hoje é comum crianças comerem açúcar, serem sedentárias e passarem a maior parte do tempo olhando para telas de celulares, *tablets* e computadores. É comum, mas não é normal. A normalidade, para nosso corpo, é deturpada pela rotina atual.

Devido a isso, estamos criando uma sociedade doente. Os índices de obesidade infantil aumentam perigosamente. Estudos demonstram uma associação entre o uso excessivo de redes sociais e transtornos psiquiátricos como a depressão. Já existe inclusive um termo acadêmico para isso, "depressão de Facebook". Acumulam-se evidências que sugerem potenciais efeitos problemáticos para o cérebro, bem como aumento no risco de transtornos mentais, derivados do consumo excessivo de pornografia.

Cuidar dos filhos implica também impor limites. Saber falar "não". Saber estabelecer acordos e cumpri-los. Muitos pais sentem culpa por não passar muito tempo com os filhos. Devido a isso, são altamente permissivos. Uma criança que nunca ouviu "não", que nunca teve limites impostos e exigidos, que nunca teve que postergar um prazer imediato para conquistar algo maior no futuro crescerá achando que o mundo lhe deve obrigações. Acreditará ser especial e melhor do que os outros seres humanos. Não suportará a dureza do mundo quando sua cara inevitavelmente bater contra um chão metafórico.

Nunca devemos esquecer que é importante cair para aprender qual é a melhor forma de levantar e seguir em frente. E só caímos quando o mundo frustra nossos passos e expectativas, colocando buracos e obstáculos em nosso caminho. Educar implica lembrar nossos filhos dessa dura verdade.

9

Amadurecer

CALABREZ: Conforme crescemos, parte do mundo se apequena, pois nossa imaginação é apequenada. Em grande medida por uma educação castradora, mas também por um cérebro que se desenvolve. Memórias são formadas mediante novidades, quebras de expectativas e eventos emocionalmente marcantes, tudo isso cada vez mais raro ao adentrarmos a maturidade. Outra parte do mundo se abre, e a tão sonhada liberdade nos acolhe, fria e amedrontadora, trazendo também sopros de leveza e encanto.

Chegamos àquela fase terrível da vida humana: a adolescência. Terrível primeiramente para os pais. Os estudos mostram que é a fase que dá mais trabalho. Não só isso: é na adolescência dos filhos que despencam os níveis de satisfação dos pais em relação ao casamento.

O que diabos acontece no cérebro dos adolescentes para que sejam... ora, tão *adolescentes*? Quando entra na adolescência, o corpo passa por grandes mudanças. Enxurradas de hormônios alteram a aparência, construindo as características do corpo adulto. No cérebro, as mudanças alteram de forma contundente quem somos e nossas relações com o mundo e os outros seres humanos.

O início da puberdade traz um segundo desabrochar de sinapses, criando novas vias no cérebro. Esse momento é seguido por cerca de uma década de poda sináptica – na qual o cérebro reforça as estradas úteis e descarta as fracas e pouco utilizadas.

Tais mudanças ocorrem especialmente no córtex pré-frontal, cujo volume diminui cerca de 1% ao ano durante a adolescência. A primeira consequência é o surgimento de uma nova experiência de *eu psicológico* e uma autoconsciência cada vez mais profunda.

As estruturas mediais do córtex pré-frontal (CPFm) tornam-se ativas quando pensamos sobre nós, especialmente sobre a significância e o impacto emocional de uma situação em nós. Ao nos tornar-mos adolescentes, o córtex pré-frontal medial fica cada vez mais ativo diante de situações sociais, com os níveis máximos em torno dos 15 anos de idade. Nesse período as situações sociais têm enorme peso emocional, com respostas de estresse intensas.

A experiência nova e impactante do eu psicológico provoca no adolescente uma grande preocupação com o que os outros pensam dele. O cérebro adulto, adaptando-se ao eu psicológico, tende a se preocupar cada vez menos com o olhar de terceiros.

As estruturas de recompensa (motivação e prazer) no cérebro adolescente apresentam ativação equivalente à do adulto. No entanto, as estruturas dorsolaterais do córtex pré-frontal, necessárias para o controle de impulsos e emoções, só amadurecem aos vinte e poucos anos de idade. Assim, o adolescente tem um sistema de recompensa adulto com uma capacidade infantil de frear impulsos e emoções. Por isso o comportamento adolescente tende a ser mais arriscado, especialmente em coisas que proporcionam prazer – como drogas, sexo e aventuras.

Estudos mostram ainda que, no cérebro adolescente, estruturas envolvidas em considerações de ordem social estão mais fortemente conectadas com circuitarias responsáveis por transformar motivações em ações. Pesquisadores sugerem que é por isso que o comportamento de risco dos adolescentes tende a ser mais provável quando eles estão com os amigos e membros relevantes do grupo social.

O amadurecimento do cérebro só se dá por completo entre os 20 e 25 anos de idade. Não quero com isso dizer que adolescentes não são livres para escolher os caminhos que percorrem. Nada é só biologia. No entanto, é impossível compreender a adolescência sem entender as características biológicas do cérebro nesse estágio. Adolescentes em geral não têm as mesmas faculdades decisórias de um adulto.

Pensava-se que após os 25 anos, com o fim das revoluções neurais da adolescência, o cérebro ficasse "pronto". Hoje sabemos que o cérebro muda e toma novas formas ao longo de toda a vida. Isso tem sérias implicações em nossa saúde e bem-estar.

A vida adulta traz uma redução considerável de novidades. Com isso, o tempo parece passar mais rápido. O peso das responsabilidades e a redução dos hormônios que nos mantinham cheios de vitalidade provocam uma grande preguiça – de tudo. Especialmente de encarar coisas que nos desafiem e obriguem a gastar energia. Dois exemplos: aprender coisas novas e praticar atividade física regular.

O cérebro faz parte do corpo, assim como o dedão. No entanto, temos a ilusão de que corpo e cérebro são entidades separadas. E acreditamos que o mesmo ocorre entre mente e cérebro. É um erro terrível para a saúde do cérebro – e da mente – ao longo da vida.

O perfeito exemplo é a atividade física regular (pelo menos três vezes por semana). Sabemos hoje que essa prática é uma das melhores formas de prevenir episódios depressivos. Além disso, é extremamente eficiente para combater ansiedade e outros transtornos mentais. Não é surpreendente saber que pessoas fisicamente ativas ao longo da vida têm uma chance de desenvolver a doença de Alzheimer reduzida em até 50%.

A dieta do Mediterrâneo, tão famosa e estudada pela ciência, que alimentou todos os grandes pensadores gregos, reduz em mais de 30% as chances de desenvolver a doença de Alzheimer. Sabe qual é a pior dieta possível para o cérebro (e coração)? Aquela com muita carne vermelha e muito carboidrato simples: arroz, feijão, bife e batata frita, por exemplo. A alimentação do brasileiro é muito pouco saudável, ao contrário do que costumam pensar.

Outra coisa importante para a saúde do cérebro e muito negligenciada é o sono. Dormir mal mata.

O amadurecimento do cérebro até o fim da vida está, em certa medida, em suas mãos. Em cada *fast-food* em vez de salada e legumes. Em cada bife de carne vermelha em vez de peixe ou proteínas vegetais. Em cada preguiça que o faz ficar no sofá em vez de correr no parque ou malhar na academia. Em cada vez que você interage com coisas com as quais está acostumado em vez de aprender coisas novas. Em cada noite que você fica trabalhando em vez de deitar e descansar. Tudo isso expõe seu cérebro a um risco muito maior de adoecer – e morrer.

"Mas eu não tenho tempo" é uma das frases mais proferidas por adultos mundo afora. Há pessoas sem condições mínimas de dignidade e saúde, e essas infelizmente não têm como priorizar a própria saúde. Mas quem costuma dizer "não tenho tempo" são pessoas que escolhem trocar a saúde e o convívio com quem amam por um dinheiro que no futuro provavelmente servirá para despesas hospitalares.

A morte é inevitável. O caminho que trilharemos até lá, nem tanto. Nossas escolhas esculpem um cérebro melhor ou pior para suportar o amadurecimento e o passar dos anos. Podemos viver – e morrer – com um pouco mais de saúde. Um pouco mais de dignidade e liberdade. Afinal, doenças aprisionam.

Mas a morte é difícil. O que dizer sobre ela? O cérebro deixa de funcionar. Não há mais atividade neuronal.

Confesso: a morte me apavora. É meu maior medo. Por isso, busco viver. Por isso, a filosofia.

10

A morte

Clóvis: É muito difícil falar da morte de uma perspectiva da filosofia, pois a filosofia surge para dar conta do problema da finitude. E o problema não é a finitude da existência, mas sim o medo da finitude.

Se algo há depois da morte, torço para que seja bom, mas receio que isso coincida com o que eu gostaria que acontecesse. E, quando tomamos por verdadeiro aquilo que gostaríamos que acontecesse, a isso chamamos de ilusão. Então, eu preferiria dizer que a morte é apenas uma interrupção que leva ao fim de uma existência e ao fim de uma consciência de si para quem morre. A vida não vivida não é nada para quem morre; portanto, a morte em primeira pessoa é simplesmente nada.

A morte não é ruim por ela. É ruim enquanto expectativa. Ao longo da vida, somos levados a acreditar que pelo menos até os oitenta anos vai. E essa é a desgraça; quando alguém morre aos 49, pensamos que ficaram faltando 31. O erro está na expectativa, não na morte. O fim da existência é mais do que previsível, mais do que lógico, mais do que normal. Se nos convencêssemos de que continuar vivo é um mistério, uma improbabilidade, e que cada novo dia é o resultado de uma coincidência incrível de fatores que podem deixar de acontecer a qualquer momento, nos surpreenderíamos menos com a morte e valorizaríamos todos os instantes da vida.

Os estoicos consideravam a morte uma bobagem; quando você entende que é parte de uma coisa que não acaba nunca, fica tranquilo porque vai continuar participando de alguma forma. Eles propuseram alguns estratagemas para vencer o medo da morte.

Um deles é enxergar nos filhos um pedaço de si, seja no jeito, no olhar, na orelha. Vamos combinar, dizer que não devo temer a morte porque minha filha tem olhos da mesma cor que os meus é de um poder de fogo tão chinfrim que chega a constranger.

A segunda perspectiva é tornar-se um herói e continuar vivo nas narrativas. Se falarem mal, a sobrevida também estará garantida. Então não precisa ser assim um herói. Basta ser lembrado. Pode ser um tremendo canalha. Vamos combinar, querer me convencer de que não tenho que temer a morte porque continuarão falando de mim, ora, me poupe.

A terceira saída é se ajustar na ordem cósmica e viver o presente, de tal maneira que você não se veja obrigado a pensar no que já aconteceu e também se veja desobrigado de pensar no que vai acontecer.

Há certas situações que são espetaculares. Quando o real é espetacular, não existe passado nem futuro.

Eu, por exemplo, adoro mocotó. E tenho um amigo, Chico, que prepara um mocotó espetacular; quando eu provo o mocotó que ele faz, minha mente pensa no mocotó, minha boca come o mocotó, meu estômago se prepara para receber o mocotó. Tudo é o mocotó. Há um alinhamento no mocotó, e eu não penso nem no passado, nem no futuro. Posso garantir: quando você não tem que pensar no que vai acontecer, você não pensa na morte e finalmente vence esse medo estúpido de morrer.

Faça a sua vida ser atrativa, tesuda, fascinante a cada segundo, e você não se lembrará de que vai morrer. E a vitória será definitiva.

Viva aos estoicos! Foda-se o medo da morte! Como é que vou pensar em morte quando estou tão focado nessas reflexões? Dane-se a morte! Essa é a lição de Sêneca, Epicteto e Marco Aurélio.

11

Deus

Clóvis: O homem sempre se perguntou se Deus existe, e muitos chegaram à conclusão de que não temos competência racional para decretar com certeza sua existência, tampouco sua inexistência. Para quem acredita que Deus existe e que é bondoso e poderoso, uma pergunta costuma incomodar: como é que ele permite tanta maldade no mundo? De duas, uma: ou é bondoso, mas não pode fazer nada e então não é poderoso, ou é poderoso, mas é mau porque não faz o que poderia para impedir a maldade.

A filosofia responde com leveza e inteligência: se Deus é criador, criou algo diferente de si. Se Deus é perfeito, criou algo imperfeito; se é amor, criou o ódio; se é paz, criou a guerra; se é inteligência, criou a burrice. Deus poderia garantir a perfeição de tudo, mas aí tudo seria Deus, e o mundo não existiria.

Há muitos problemas em acreditar em um deus transcendente. Se nossa inteligência consegue identificar o que é bom e como devemos agir, se temos moral, Deus estaria sobrando. Nós nos bastaríamos. Se tudo depende da recomendação de Deus, não seria necessário inteligência para identificar o que é certo e o que é errado, não teríamos competência para atribuir valor às coisas – e não teríamos moral.

Bem, você percebeu a dificuldade. Ou as coisas são boas por si e Deus está sobrando, ou as coisas dependem de Deus para serem boas, e nesse caso somos criaturas amorais, descerebradas e incompetentes para resolver nossos problemas.

12

A ilusão da imortalidade

CALABREZ: Vivemos sob uma terrível ilusão de imortalidade. A cada ano que passa, temos menos tempo para conquistar nossos planos e sonhos. O envelhecimento é o esgotamento do tempo à nossa disposição. Cada instante é um passo em direção à morte. Um ano a menos a cada ano que passa.

Triste é chegar ao fim da vida e perceber que desperdiçamos tempo com pessoas e projetos que não valeram a pena. Triste é arrepender-se por não ter aproveitado, não ter tentado, não ter arriscado.

Imagine um mundo em que tivéssemos todos os dias a real consciência de que cada minuto é um minuto a menos, de que cada instante é um investimento. Se as pessoas tivessem consciência constante da finitude da vida, acredito que eliminaríamos grande parte da mesquinharia e pequenez que encontramos nas coisas cotidianas.

Consciente da sua mortalidade, talvez você não brigasse no trânsito, nem com as pessoas queridas da sua vida. Talvez parasse de reclamar de trivialidades no trabalho e aproveitasse as oportunidades que lhe são dadas todos os dias.

A vida acaba. Por isso devemos ser agradecidos todos os dias à natureza por ter nos dado a oportunidade de passear brevemente por este universo com o cérebro mais complexo que existe – o único cérebro capaz de aprender sobre ele mesmo, de refletir e de buscar viver melhor amanhã do que vivemos hoje.

13

Amor e paixão

CLÓVIS: Vamos falar sobre o enamoramento, a paixão. Existem certos mundos que nos alegram. Quando aparecem na nossa frente, transformam nossa composição físico-química, aumentando nossa potência, nossa energia, nossa libido. É normal que, flagrando a experiência, trazendo esse sentimento para a consciência, queiramos repetir a dose. É o que Espinosa chama de amor. Alegria quando vem acompanhada da consciência da sua causa. E aí passamos a buscar aquilo que supomos que nos alegrará; estabelece-se uma relação de dependência. Passamos a acreditar que, se aquilo que supomos nos alegrar não estiver por perto, a alegria se torna impossível e a tristeza é provável.

O dinheiro permite que muitas dessas coisas fiquem por perto. Se o mar nos alegra, o dinheiro permite uma casa na praia, por exemplo.

Quando uma pessoa é a causa da nossa alegria, temos que contar com a sua boa vontade de ficar perto de nós. E, quando a nossa alegria depende de decisões que não controlamos, nossa alma oscila, nosso corpo se desequilibra.

Lucrécio considerava essa a pior das situações e aconselhava identificarmos os defeitos daquele que supostamente nos alegra. O grande problema é que, quando estamos nos apaixonando, uma das primeiras coisas que acontecem é a imediata incapacidade de identificar imperfeições naquele que amamos.

Por isso, neste mundo da pós-modernidade, somos cada vez mais estimulados a manter relações frívolas. As novas tecnologias facilitam, as pessoas tornam-se substituíveis, até porque são todas muito parecidas nas listas do WhatsApp. Quanto às características mais distintivas, às vezes nem dá tempo de conhecer, pois há sempre outra na lista para entreter.

A situação que vou tentar analisar é a de enamoramento, em que ainda não há nenhum tipo de relacionamento. Você quer que venha a acontecer, está em plena atividade de sedução. É uma montanha-russa, você não controla a intensidade das sensações que sente, está à deriva, à mercê.

Você sente alegria pura ao lado da pessoa. É quase que uma experiência de espiritualidade. Além da alegria, você pode sentir esperança, que também é ganho de potência e tem como causa aquilo que você imagina. Mas alegria mais esperança é pior do que só alegria. Isso porque toda esperança é inseparável do seu contrário: do medo de que aquilo não aconteça, de que a pessoa nunca venha a ser sua. Esperança e medo são dois lados da mesma moeda. Se ao lado da pessoa amada você imaginar o futuro compartilhado ou o futuro da separação, haverá esperança e haverá temor. E será menos legal do que só a alegria.

Pois muito bem, imaginemos agora quando a pessoa não está ao seu lado. Não haverá a alegria da presença. Pode haver a tristeza da falta. Mas que fique claro: o que entristece é a realidade encontrada. É ir à padaria, ao cinema, sem a pessoa, é a realidade separada da pessoa com quem você gostaria de estar. Essa sensação é ainda maior quando você já esteve com aquela pessoa nos lugares que revisita. Mas distante da pessoa você também pode sentir esperança: imaginar-se com ela, imaginar sua presença. E pode sentir temor: imaginar não voltar a encontrá-la. Alegria e tristeza, temor e esperança fazem parte da vida de um apaixonado. Você oscila.

Ao longo da história do pensamento, são pouquíssimos os pensadores que acham boa a vida de apaixonado. A filosofia desconfia de todas as emoções que você não controla. Quando os gregos falam em ataraxia e a filosofia oriental fala no estado *zen*, referem-se a situações de vida em que você controla as causas das suas emoções. Muito da filosofia, se fôssemos continuar na metáfora do parque de diversões, considera a vida boa o carrossel. Rigorosamente, é o contrário da montanha-russa.

Bem, esse ideal da filosofia é o que eu chamo de tédio absoluto. Acho que há montanhas-russas bem bacanas, nas quais a equação entre temor e esperança, entre alegria e tristeza, possa ser favorável. Penso que esta é a melhor situação possível: uma montanha-russa moderada. Estou aristotélico e moderado.

CALABREZ: Geralmente as relações românticas começam com um estágio de alta intensidade e curta duração chamado paixão, que, do ponto de vista do cérebro, assemelha-se a um estado de grande motivação e prazer, com características de demência temporária, estresse, obsessão e compulsão. Como toda emoção, a paixão é regulada por fatores endócrinos, ou seja, envolve uma série de hormônios e neurotransmissores.

Dois hormônios têm papel importante durante a paixão: a ocitocina e a vasopressina, com ação associada ao apego e à preferência que o apaixonado tem por *aquela pessoa específica*. Isso significa que durante a paixão estamos extremamente ligados à outra pessoa, que será mais relevante para nós do que quaisquer outras. Isso explica um pouco da sensação de que aquela pessoa é única, de que ninguém é capaz de substituí-la. Também encontramos receptores de ocitocina e vasopressina no circuito do sistema de recompensa do cérebro. Como vimos no Capítulo 2, recompensa também envolve prazer, a sensação subjetiva positiva associada ao estímulo motivador.

O sistema de recompensa do cérebro envolve em grande medida a ação de um neurotransmissor chamado dopamina, associada a um estado motivacional. A paixão é um estado hiperdopaminérgico, de elevada experiência de recompensa quando entramos em contato com o estímulo – a pessoa pela qual estamos apaixonados. Não é necessário contato físico. Basta pensar na pessoa.

Outra substância implicada na paixão é a serotonina, neurotransmissor importante na regulação de humor. Quando você está apaixonado, seus níveis de serotonina caem, condição também observada no transtorno obsessivo-compulsivo (TOC). Obsessão envolve pensamentos invasivos, recorrentes; apaixonado, você está trabalhando, tomando banho, assistindo TV, e a ideia da pessoa aparece na sua cabeça, independentemente da sua vontade. Além disso, você quer mais e mais tempo com ela, e esse tempo o faz sentir alegria, conforto, alívio de ansiedade, o que se assemelha às compulsões.

Outro hormônio envolvido na paixão é o cortisol, associado às respostas ao estresse. Quando nos apaixonamos, ficamos ansiosos, inseguros, eufóricos. O coração bate mais rápido e mais forte, o sistema digestório se altera. Nossa energia aumenta, ficamos hipervigilantes (sem sono). Esses sintomas todos surgem mediante estímulos estressantes

Por fim, durante a paixão, há inibição do córtex pré-frontal, situado atrás da testa. Com o pré-frontal inibido, nossos desejos e impulsos vêm à tona sem muito freio, e a capacidade de pensar nas consequências de nossas ações é diminuída. Por isso tomar grandes decisões apaixonado costuma ser má ideia.

Uma última característica da neurobiologia da paixão é ser passageira. Seus efeitos químicos e funcionais no cérebro desaparecem em 12 a 24 meses.

Por vezes, quando a paixão acaba, continua um

processo de apego. Muitos chamarão esse processo de amor de fato, negando que a paixão deva receber o nome "amor". Prefiro considerar a paixão um estágio do amor. Frequentemente, o primeiro estágio. Às vezes o amor desenvolve-se em um segundo estágio. Às vezes os estágios invertem-se. Às vezes o amor termina quando a paixão acaba. Às vezes o amor começa sem paixão, indo direto para o segundo estágio. Muitas vezes temos momentos de paixão durante o segundo estágio.

O segundo estágio implica um laço de união que se torna cada vez mais forte com o tempo. Envolve comprometimento, carinho, cuidado, segurança e confiança entre as partes. No entanto, trata-se de uma relação mais difícil de manter: não há mais uma enxurrada de hormônios e neurotransmissores que nos deixam motivados e ligados à pessoa. Esse segundo estágio tem menor intensidade e maior duração.

Apaixonar-se não é uma escolha. Emoções e sentimentos não derivam de escolhas. Apenas comportamentos estão sujeitos a escolhas. Construir uma relação é uma escolha. Escolha diária, esforço contínuo, construção ativa. Acomodação e preguiça são sentença de morte para uma relação romântica.

Seja como for, todas as relações um dia acabam. Ao se passar por um processo de separação ou rejeição, são ativadas as mesmas circuitarias do cérebro responsáveis por mediar dores físicas, como quebrar uma perna. Assim, o termo "dor do coração partido" parece apropriado. Tenho certeza de que muitos prefeririam ter uma perna quebrada em vez de sofrer as dores do coração partido.

Amar é assinar uma sentença que muito provavelmente nos condenará a tristezas cedo ou tarde. Por outro lado, não amar significa viver menor, abdicar de uma necessidade humana: o calor de outro ser humano. Não falo somente do amor romântico, mas em sentido amplo, incluindo amigos e familiares. Os estudos são claros: relações sociais de qualidade são o fator mais importante para o bem-estar humano, inclusive a saúde. Necessitamos de apego.

Eis a contradição. Precisamos amar para viver melhor. A vida, no entanto, nos condena, cedo ou tarde, à tristeza de perder a pessoa amada.

CLÓVIS: Existe um sofrimento que não depende da circunstância da vida, que não nos abandona nunca, que decorre do fato de sermos desejantes, de constantemente buscarmos permanência em um mundo que flui. O fato de sempre desejarmos que as alegrias se traduzam em felicidade, que os amores durem para sempre, que os bons momentos se repitam eternamente. Essa pretensão blasfema contra o mundo da vida, onde nada permanece.

Pretender o para sempre numa vida de trânsito é lutar contra a essência da nossa existência, é a causa do mais profundo sofrimento. O sofrimento não é atributo de uma vida mal vivida, não decorre de erros, não é castigo por alguma coisa que fizemos agora ou em outras vidas. O sofrimento é inerente à vida, é essencial à vida. Sem o sofrimento, a vida também não existe. O sofrimento está para a vida assim como o chocolate para o bolo de chocolate.

O que você escolheria entre apegar-se e se foder ou levar uma vida de bosta sem apego? O apego é a esperança de repetir amanhã a alegria de hoje e, portanto, uma espécie de certeza na possibilidade de esticar um instante de ganho de potência e de alegria.

É quase inevitável que uma pessoa seja capaz de alegrar e entristecer quase ao mesmo tempo. Apegar-se a alguém, portanto, é comprar a tristeza e colocá-la dentro de casa.

Ainda assim, não tenho dúvida de que o amor é a solução para o medo da morte, pois, quando o amor existe, o presente basta. E, quando o presente basta, o futuro não pede passagem em nossa mente.

E, quando o futuro não pede passagem em nossa mente, não há por que pensar no momento da nossa morte. E o medo desaparece.

Ame mais. Ame o mundo como ele é. Reconcilie-se com o real. Cito aqui uma frase do professor André Comte-Sponville, de inspiração assumidamente estoica, que é fantástica: "Lamente um pouco menos" – isso é passado –, "espere um pouco menos" – isso é futuro – "e ame um pouco mais" – isso é o instante presente. Se o passado não pedir passagem, se o futuro não se impuser, o presente estará bastando. Esse presente que basta é aquele que amamos, é o presente que é objeto do nosso amor, o maior dos nossos sentimentos, a salvação para o medo da morte.

CALABREZ: Parece-me que há dois outros elementos que devem ser considerados no amor. Primeiro, a admiração. Não há amor sem admiração. A paixão quase que naturalmente nos faz admirar a pessoa.

Mesmo se não admirarmos seu intelecto ou personalidade, por exemplo, podemos admirar sua beleza. Quando seguimos para o segundo estágio, o amor companheiro, a admiração se torna ainda mais importante. Quando se esgota a admiração, a chama do amor ameaça apagar, os laços se afrouxam, a conexão entre as partes diminui.

Outro elemento é o cuidado. "Quem ama, cuida", diz o ditado popular. De fato, cuidar e amar parecem andar de mãos dadas.

Clóvis: Quando um elemento de realidade não encontra em nós um gancho de conexão, de associação, ocorre uma paralisação súbita da atividade mental. A essa paralisação denominamos admiração. A admiração é consequência da nossa capacidade de pensar e imaginar. Portanto, é uma interrupção que tem por causa uma lacuna, uma falta de gancho na mente. A admiração não tem por causa o mundo que contemplamos. Fossem outras as nossas ideias, seriam outros os mundos que nos causariam admiração. A admiração pode acarretar alegria ou tristeza. Muitas vezes a admiração é produzida pela observação do comportamento de alguém. Nesse caso, aquele alguém é causa da nossa admiração.

Cuidar de alguém é tentar preparar o mundo para entristecer o mínimo e alegrar o máximo esse alguém. Quando cuida, você prepara a cama, arruma as cobertas, e tudo isso é zelo para que o mundo possa alegrar. Cuidar de alguém é uma equação afetiva complicadíssima, exige 24 horas de atenção, pois o mundo é ardiloso e astucioso na hora de entristecer.

Agora, será que posso cuidar de mim? Isso implica discernir o que possa me alegrar e me entristecer.

Cuidar de si exige uma incrível capacidade de antecipação do resultado afetivo dos encontros com o mundo. Cuidar de si não é fácil, pois você está sozinho diante de um mundo que sempre surpreende, e raramente no sentido da alegria. O cuidado consigo mesmo pode estar cheio de erros, pois só evitaremos mundos que entristecem em função de experiências anteriores. Só vamos procurar mundos que alegram em função de experiências anteriores, e as experiências não se repetem tal e qual. Às vezes, porque nos entristecemos um dia, perdemos a chance de nos alegrar; porque nos alegramos um dia, perdemos a chance de evitar uma tristeza.

Cuidar de si não é nada fácil. Acho que é o que tentamos fazer o tempo inteiro. Usamos a inteligência para encontrar mundos alegradores e evitar mundos entristecedores. Mas a inteligência é pouca diante de um mundo tão complexo. O mundo será sempre muito mais difícil do que a nossa capacidade de antecipá-lo, diagnosticá-lo e identificar o que nos convém e o que não nos convém. Cuidar de si é uma tentativa fadada ao fracasso.

14

Liberdade

CLÓVIS: Falar de liberdade nos remete a um lindo conceito da filosofia do século 20, que é o conceito de má-fé. E o que vem a ser má-fé? É a negação da consciência de si, a negação da liberdade. Aquele que age de má-fé está o tempo inteiro justificando suas condutas não pelo próprio discernimento, não pela própria escolha, e sim pela fatuidade dos encontros pelo mundo, pela inexorabilidade das circunstâncias de vida. Aquele que age de má-fé nega que poderia ter agido diferentemente, nega que sua vida seja feita de escolhas, nega que esteja onde está, mas que poderia ter escolhido estar em outro lugar. Portanto, aquele que nega a liberdade e nega a escolha acaba negando a própria humanidade.

A cada conduta que temos, podemos ter alguma consciência. Podemos nos alegrar com o que fazemos – o que chamamos de orgulho – e podemos nos entristecer com o que fazemos – o que chamamos de vergonha. A possibilidade de pensar sobre nós mesmos, de ter consciência de si, é condição para a nossa liberdade. Quem não pensa sobre si acanha sua liberdade de conduta; afinal, vai agindo sem discernimento sobre outras possibilidades de vida. Quanto mais você conseguir ter consciência de si, mais perceberá o quanto a sua vida pode ser outra e mais se dará conta da própria liberdade.

Na hora de eleger a melhor conduta, a equação é complexa. Muitas vezes nos servimos de regras morais, fundadas em princípios morais, isto é, referências de conduta que nos parecem importantes, valiosas e que gostaríamos que norteassem nossa vida. Por exemplo, somos cordiais porque a cordialidade é importante para nós. Dizemos a verdade porque a verdade é importante para nós. Somos leais porque a lealdade é importante para nós. Porém, na hora de decidir, muitos desses princípios entram em conflito.

Imagine que alguém que você queira bem volte do cabeleireiro e você não goste muito do resultado. Você fica em dúvida entre dizer a verdade ou dizer que gostou para ser amável. Existe aqui um conflito entre a gentileza de um lado e a verdade de outro.

Dilemas morais fazem parte da vida. É preciso estabelecer uma hierarquia entre os princípios morais para escolher os que de fato nortearão sua vida.

CALABREZ: É natural para mim, ao falar de liberdade, pensar na liberdade da mente. O que não significa que a mente seja independente do corpo.

Depressão, bipolaridade, transtorno obsessivo-compulsivo, pânico, déficit de atenção, esquizofrenia já foram consideradas doenças "psicológicas", ou seja, doenças da mente – sem relação com o corpo. Hoje, alguns dos maiores avanços na compreensão dessas e outras doenças limitadoras da liberdade são no estudo das disfunções cerebrais e genéticas.

A mente existe em relação íntima com o cérebro e, portanto, com o corpo. O leitor poderia concluir que um adulto de corpo e mente saudáveis possa ser totalmente livre. Será? Infelizmente, tudo indica que não é bem assim.

A imensa maioria do que eu e você pensamos, desejamos, sentimos e fazemos é resultado de operações mentais às quais não temos acesso. Na ciência, chamamos esse mundo de "inconsciente". Se você está sentado lendo este livro, aposto que não está consciente da pressão do assento sob suas nádegas. Agora você está – só porque chamei sua atenção. Antes era um processo inconsciente. Você não está consciente dos mecanismos que controlam sua pressão arterial, frequência cardíaca, respiração, peristaltismo e tantas outras coisas.

Mas isso não se restringe às funções fisiológicas. Nossos desejos, decisões e julgamentos frequentemente fogem ao nosso controle consciente.

Um estudo observou que *strippers* recebiam gorjetas maiores quando estavam ovulando do que fora desse período e que as gorjetas eram ainda maiores quando menstruavam. As *strippers* que tomavam pílula anticoncepcional não apresentaram variações.

Em outro estudo, um supermercado colocou nas prateleiras quatro vinhos franceses e quatro vinhos alemães equivalentes em termos de uva, preço e secura/doçura. Em dias alternados, tocaram músicas francesas e alemãs. Nos dias de música alemã, 73% dos vinhos vendidos foram alemães. Nos dias de música francesa, 77% foram franceses. Após a compra, os participantes responderam um questionário que demonstrou que não haviam percebido a influência da música sobre a preferência.

Estudos indicam que o cérebro inicia um comportamento segundos antes de acharmos que decidimos tal comportamento. Em outras palavras, do ponto de vista de operação cerebral, a crença de que decidimos ocorre após a decisão ocorrer (inconscientemente). Por isso, diversos pesquisadores acreditam que o livre-arbítrio é uma ilusão. Do meu lado, digo que a liberdade é mais complexa e limitada do que as sensações de livre-arbítrio cotidianas fazem parecer.

Uma provocação: será que qualquer um é livre para ser cientista e contribuir para o conhecimento como Einstein? Será que todos temos a liberdade para treinar futebol e jogar como Lionel Messi?

CLÓVIS: Em qualquer atividade humana é fácil perceber a combinação de talento – habilidade, dom natural – e esforço – dedicação e transpiração. Qual será o comportamento de maior valor? Aquele determinado pelo dom natural – pela virtude, como diria Aristóteles – ou o que resulta de esforço?

O esforço resulta da vontade, da decisão. Quando nos esforçamos, poderíamos não nos esforçar. O talento é um recurso natural, impõe-se a nós, não escolhemos, não decidimos. O esforçado poderia não ser; o talentoso tem que ser.

Vivemos uma crise do valor do talento porque a ideia de mérito – ou de meritocracia, tão badalada no mundo profissional e das organizações – implica sempre a possibilidade de agir diferente, de não ser o que se é. Todo mérito pressupõe uma decisão meritória, e por isso há o aplauso pelo esforço e dedicação.

Já o comportamento talentoso sem esforço costuma ser entendido como resultado de uma injustiça na distribuição natural de recursos, e por isso nem sempre é tão aplaudido. No mundo artístico, o talento ainda é reconhecido. Fora dele, o que se espera é que você rale de sol a sol. Normal em uma sociedade que vê na igualdade o princípio ético fundamental. Se a régua é o esforço, partimos do mesmo lugar, mas, se a régua for o talento, há uma desigualdade de princípio que jamais poderemos subverter.

No pensamento antigo, Aristóteles não dá margem à dúvida: "A melhor flauta para o melhor flautista". O indivíduo talentoso por natureza deveria dispor do recurso mais caro. A escolaridade, condição de aperfeiçoamento do pensamento, cabia aos já naturalmente talentosos para pensar. A cidade justa dos gregos reforçava aquilo que a natureza distribui de forma desequilibrada.

No mundo moderno, muitos de nós pensamos rigorosamente o contrário: a cidade justa deve corrigir as desigualdades de princípio. Aqueles com deficiências contam com facilidades aplaudidas por todos – ou quase todos. O que se pretende é que o indivíduo com alguma dificuldade possa ter uma vida equiparada à daquele sem dificuldade e mais bem-dotado por natureza.

CALABREZ: Pelo menos nessa questão, o mundo atual parece permitir maior liberdade do que o antigo. O mundo tende a suportar cada vez menos os modelos aristocráticos nos quais a essência do indivíduo é determinada pelo seu lugar "natural" de nascimento.

Incomoda-me, no entanto, a visão de que o mundo atual é *plenamente* livre. Em uma espécie tão social quanto o *Homo sapiens*, a plena liberdade individual é um delírio. Não há indivíduo sem sociedade. Logo, não há liberdade individual plena. O maior indício de que não somos tão livres talvez seja o quanto mudamos ao longo de um mesmo dia para tentar nos adequar àquilo que outras pessoas esperam de nós.

CLÓVIS: Você vai a uma festinha de aniversário com as crianças e desempenha o papel de pai ou de mãe.

Vai à casa da sogra e meio que encena um papel de membro da família. Vai trabalhar e se passa por bom profissional. Vai ao jogo de futebol e encarna o papel de torcedor. Aí um dia você pensa: máscara na festinha, máscara na casa da sogra, máscara de executivo, máscara de torcedor, máscara, máscara, máscara... Será que por trás de todas essas máscaras haverá uma não máscara? Um verdadeiro eu?

Talvez sejamos apenas máscaras sem rosto. Fingimento permanente. Às vezes com maior, às vezes com menor consciência. Graus diferentes de cinismo para uma vida na qual vamos nos adaptando como atores que escondem o vazio do seu próprio ser. Afinal, onde apareceria o eu verdadeiro? No vaso pela manhã? Será mesmo? E agora, meu amigo?

CALABREZ: Não consigo imaginar sociedade mais mascarada do que a que vive em um mundo de redes sociais. Acho apropriado o nome "perfil" ao se referir às nossas páginas dentro das redes. Afinal, perfil implica, por definição, que há um outro lado – um lado escondido daquilo que estamos vendo.

Os estudos mostram que olhar-se no espelho e se sentir bem é um importante fator para o bem-estar. Ser dono do próprio corpo é muito importante. O problema é quando isso se torna regra existencial. Quando absolutamente tudo é somente aparência. Quando construímos nossa vida, incluindo nosso corpo, baseados num desejo de aprovação constante. Ignoramos quaisquer reflexões profundas sobre nós mesmos, pois o que importa é mostrar-se especial para o olhar alheio. Tornar-se cada vez mais especial nos faz desejar a perfeição, que é uma grande ilusão. Não quero dizer com isso que a internet é um mal. Quero apenas alertar para uma ambivalência.

A internet nos trouxe uma liberdade gigantesca. Hoje somos capazes de nos manifestar e de denunciar coisas que por muito tempo passaram por baixo do pano, como preconceito e discriminação; somos informados das pilantragens cometidas por líderes políticos e após alguns cliques temos acesso a uma aula ministrada na Universidade de Harvard.

Ao mesmo tempo, a internet nos limita. Vivemos mergulhados em um oceano de informações, muitas vezes sem discernimento de que as informações podem ser mentirosas, deturpadas ou insuficientes.

A tecnologia permite acesso a um número quase ilimitado de opções de tudo: roupas, acessórios, estilos de vida, alimentos, informações, ideias e prazeres. Só que não são pequenos cardápios. Cada um deles nos dá um grande número de possibilidades. Acontece que um grande número de opções gera angústia, dificulta o processo de decisão e aumenta a probabilidade de insatisfação com a escolha, levando à insatisfação e, no limite, à tristeza.

Isso também acontece no mundo dos relacionamentos românticos. O aplicativo Tinder, por exemplo, dá um grande número de opções. No entanto, por possibilitar grande liberdade, talvez o Tinder também dificulte o processo de decisão e aumente a probabilidade de insatisfação.

Alguns estudos já sugerem que o número de parceiros sexuais passados está associado à insatisfação com o relacionamento atual. Ou seja, quanto mais parceiros passados, maior insatisfação com a relação de hoje. Outros estudos sugerem que um maior número de relacionamentos passados está associado a maiores taxas de divórcio. A hipótese dos autores é simples: quanto mais você sabe que existem outras opções, mais ciente está de que existem alternativas diferentes da pessoa que está com você. Isso poderia torná-lo mais crítico e, portanto, menos satisfeito com o que tem.

Muita liberdade então pode ser fonte de angústia. Será esse o carma de uma sociedade de consumo?

Carma, aliás, remete a um conceito diretamente

ligado à liberdade. Muita gente acredita que escolhas livres, quando boas, geram algo positivo. Quando ruins, produzem negatividade. De certa forma, há um determinismo. A boa ação determina o bem, a má ação determina o mal. Se uma boa ação sempre produz coisas boas e uma má ação sempre produz coisas ruins, onde está a liberdade? Pode-se argumentar que existe liberdade nas intenções e ações, mas não nas consequências. Perfeito.

Mas liberdade plena seria uma boa ação causar qualquer coisa (boa, ruim, neutra, ambígua) e uma má ação também. Liberdade plena significa que nada é puramente bom ou mau – tudo é relativo. O relativismo é a moral mais livre, se considerarmos liberdade como ter o maior número possível de caminhos a escolher.

Não digo que relativismo seja uma visão boa ou ruim do mundo. Apesar de, ao dizer isso, estar relativizando. Deixo as conclusões para o leitor.

15

Poder

CLÓVIS: Quando pensamos em poder, podemos pensar primeiro na possibilidade que cada um tem de conseguir executar uma tarefa. Por exemplo, eu tenho o poder, a capacidade de escrever um livro, dar uma aula. Não tenho o poder de voar.

Também entendemos por poder uma característica de relação entre as pessoas. Quando duas pessoas se relacionam, há exercício de poder se a vontade de uma delas determina a ação da outra. No trabalho, o chefe exerce o poder, uma vez que o comportamento e atividades dos subordinados são determinados pela vontade de seu superior.

Por que alguém define o que os outros irão fazer? Por que cada um não manda em si? Para que a vida em sociedade aconteça, as relações de poder têm de estar em toda a parte. Simplesmente não é possível que cada um apenas mande em si. Algumas relações de poder são aceitas não só por quem o exerce como também por quem a ele se submete. Chamamos de poder legítimo o poder aceito pelos envolvidos.

As leis são escritas por alguns, mas obedecidas por todos. Por que obedecemos? Acatamos muitas decisões que não são tomadas por nós. Por que será que aceitamos tão fácil não sermos nós mesmos os artífices das escolhas que constituem a nossa vida?

O que fundamenta o exercício do poder? A natureza e os atributos de natureza daqueles que exercem o poder e aqueles que a ele se submetem foram durante muito tempo legitimadores e justificadores de relações desse tipo. Há o grande mito de Gilgamesh, primeiro relato de que temos registro. Gilgamesh era o soberano de sua cidade em função do seu tamanho.

Na filosofia, o elemento de natureza que garantiria a legitimidade do poder seria a inteligência, o uso da razão. Um domínio sobre as próprias paixões, sobre o próprio corpo, em nome da busca de uma verdade, de um mundo transcendente. O sábio, o filósofo, deveria exercer o poder. Valentões como Gilgamesh defenderiam fisicamente a cidade. E aos que não fossem nem muito inteligentes nem valentões caberia o trabalho braçal, servidão.

Certamente que a natureza perdeu o monopólio legitimador do poder, mas ainda hoje garante para muitos uma situação privilegiada nas relações. A beleza garante prerrogativas de poder, assim como a inteligência e vários outros elementos com os quais a natureza nos brinda desde o nascimento.

Calabrez: Há uma assimetria nas relações humanas. Alguns indivíduos são mais socialmente legitimados, tornam-se dominantes. Outros obedecem às regras definidas pelos dominantes, são dominados.

Na espécie humana, os critérios que definem a legitimação de indivíduos para posições de poder são relativos à cultura do grupo que estivermos analisando. São, portanto, múltiplos e constantemente mutantes. No entanto, ao que tudo indica, temos uma natureza biológica propensa a viver em – e aceitar as – relações sociais assimétricas.

Há quem diga que, em certa medida, os dominados também gozam de certos benefícios da obediência. Argumentam que muita gente não deseja o peso da responsabilidade de ocupar uma posição de poder. Outros dizem que, na verdade, o desejo último de todo dominado é se tornar dominante. Essa eu deixo para o leitor resolver.

16

Felicidade

CLÓVIS: Para fazer a vida boa acontecer, os estoicos sugeriram o desapego em relação às coisas e às pessoas. Se a sua alegria depende da presença de algo ou de alguém, ela obviamente é frágil. A única felicidade consolidada é a que você consegue consigo mesmo. É ficar na paz, de boa, contemplando as coisas. Não é uma vida de mil orgasmos e cheia de luxúria. É uma vida de resignação às coisas como elas são. Há uma série de exercícios para isso; muitos envolvem controle do que passa pela cabeça.

O primeiro exercício é a luta constante contra o passado. Se o passado foi bom, será nostálgico, e isso é ruim; se foi ruim, será cheio de culpa, remorso e arrependimento, e isso também é ruim. Não há chance de o passado, enquanto produção presente da mente que reconstrói o mundo vivido, ser bom. Sentir saudade ou arrependimento não é bom.

Passado e futuro, dois males a evitar. Coisas a respeito do que vai acontecer passam pela nossa cabeça. É natural. Se a projeção que chamamos de futuro é favorável, denominamos esperança. Se a imagem criada no presente sobre o que vai acontecer é desfavorável, não há esperança, mas temor.

Pois bem, o temor é uma desgraça. Mas tem o futuro legalzinho, que traz boas sensações. Só que mesmo o futuro legalzinho não é bom. A esperança, embora agradável, não é um afeto legal. Primeiro, porque você está desfocado do que está acontecendo, do presente, do mundo tal como se apresenta. Você está fragilizado, a cabeça em um lugar e o corpo em outro. Segundo, porque a esperança é um desejo, portanto, elaborada na ignorância sobre o que vai realmente acontecer. Além disso, é um afeto na impotência, pois você não pode fazer a coisa acontecer, você apenas espera e torce. É também um afeto sem gozo, é sempre na falta, como todo desejo.

Condenar a esperança nos leva ao amor pelo presente. O amor pelo mundo como ele é, pelas coisas, pelas pessoas, pelas situações que se apresentam, enfim, essa reconciliação com o real, é uma sugestão profundamente lúcida; afinal, se tudo o que passar no espetáculo da sua percepção lhe for amável, lhe parecer justo e bom, é claro que a vida tem toda a chance de valer a pena. Aconteça o que acontecer, vai estar tudo certo. Mais que isso: aconteça o que acontecer, você irá adorar. Você irá adorar sempre, curtir sempre, sorrir sempre, amar sempre, e aí a vida não tem como ser ruim.

Mas, se a filosofia se dispõe a aconselhar isso, é porque sabe que no mundo da vida isso não acontece. A verdade é que muitas das coisas que passam pela nossa percepção são asquerosas, inaceitáveis, indignas, nos agridem, ofendem e humilham. A verdade é que o mundo é cheio de canalhice, portanto, essa história de amor por tudo e de que aconteça o que acontecer está tudo bem nós sabemos que não é bem assim, não toleramos tudo.

Muita coisa do mundo nos alegra, nos faz sorrir, é de extraordinária beleza. E torcemos para que se conserve assim. Mas muita coisa – e eu diria a grande maioria – é inaceitável. Por isso, a essa história de que a vida boa implica simplesmente um amor pela realidade, eu preferiria sugerir a transformação do que é ruim, a revolução, a subversão, a mudança. O que não é bom tem que ser transformado. Transformado para nós e para as próximas gerações. A mera contemplação amorosa do mundo implica uma aceitação conformada das coisas como elas são, e não dá para se conformar com tantos comportamentos inaceitáveis.

É muito bacana filosofar. É muito legal acreditar que o instante tem de esgotar nele mesmo a sua razão de ser. É muito interessante imaginar que passado e futuro só atrapalham. Mas será que dá para viver como os estoicos sugerem? Será que, depois de curtir uma noite de amor incrível, você vai embora e aquilo desaparece porque você estará entretido com o táxi que vai levá-lo para o aeroporto?

Ah, amor pelas coisas como elas são. É lindo, é poético, é sábio. Mas não tem nada a ver com a nossa vida.

CALABREZ: O primeiro passo para entender a felicidade em uma perspectiva científica envolve a descoberta da psicologia de que é como se o ser humano tivesse dois "eus". O "eu experiencial" *vive o instante*. Os estudos sugerem que ele tem duração de cerca de três segundos. O "eu projetivo" *pensa sobre a vida, olhando para fora do agora*, para trás (passado) e para a frente (futuro). *Viver e pensar sobre a vida, do ponto de vista psicológico, são duas coisas muito diferentes*.

Uma coisa não é mais importante do que a outra. O importante é compreender as características desses "eus", sabendo que as condições de felicidade do eu que vive são fundamentalmente diferentes das condições de felicidade do eu que pensa sobre a vida.

O eu projetivo vive de histórias. Olhar para o passado é contar uma história do que já foi. Olhar para o futuro é contar uma história do que se acredita que virá a ser. O que faz essas histórias felizes são os objetivos e as conquistas. É olhar para o passado e enxergar conquistas de valor; olhar para o futuro e enxergar objetivos de valor.

Tem muita gente que diz que dinheiro e conquistas profissionais não trazem felicidade. Errado. Muita gente olha para o passado e enxerga valor em suas conquistas profissionais e financeiras. O problema é acreditar que *só isso será fonte de felicidade*.

Outro elemento importante para a felicidade do eu projetivo é o "significado". Uma vida com significado é uma vida na qual você sente que pertence a algo maior e mais importante do que você. Muita gente encontra isso na religião, na espiritualidade e na família. Alguns encontrarão no trabalho, em atividades filantrópicas ou no ativismo social.

O que faz o eu experiencial feliz em primeiro lugar é o engajamento, o estado psicológico que ocorre quando encontramos um equilíbrio entre os desafios que enfrentamos e nossas competências. Engajamento tem a ver com desafios. Quando não enfrentamos desafios ou quando o desafio que enfrentamos é pequeno demais para nossas competências, tendemos ao tédio, à desmotivação. Quando, ao contrário, enfrentamos um grande número de desafios simultâneos ou desafios grandes demais para nossas competências, tendemos ao estresse.

O engajamento equilibrado pode nos levar ao estado psicológico conhecido como *flow*. Quando estamos em *flow*, perdemos a consciência de nós mesmos e do tempo, mergulhamos na atividade que estamos realizando, nos tornamos hipermotivados.

Uma segunda coisa necessária para a felicidade do eu experiencial é aproveitar o que está acontecendo enquanto está acontecendo. É enfrentar os desafios com a cabeça nos desafios. Nisso temos um problema enorme. Fazemos uma coisa pensando em outra; estamos aqui, mas com a cabeça em outro lugar.

Nossa sociedade é *expert* em prometer felicidade para o eu projetivo. Somos bombardeados com objetivos para conquistar e rodeados de potenciais fontes de significado, como família e emprego. Mas nossa sociedade é péssima para nos educar a viver com a cabeça naquilo que estamos vivendo. A coisa mais comum é acordar na segunda esperando a sexta.

Trabalhar ou estudar esperando as férias. Viver em trânsito, esperando chegar a outro lugar. O trânsito é angustiante. No sentido literal e como metáfora.

Existe apenas uma variável que faz feliz tanto o eu projetivo quanto o eu experiencial. Esta é, aliás, a variável mais importante para a felicidade humana: a qualidade das relações. Pessoas felizes são aquelas que se rodeiam de pessoas queridas e amadas. Um dos maiores catalisadores de tristeza é a solidão.

A felicidade é fruto de um equilíbrio: olhar para o passado e enxergar conquistas, olhar para o futuro e enxergar objetivos, olhar para a vida de maneira geral e enxergar significado; apreciar, valorizar e saborear o presente com a cabeça aqui, enfrentando desafios adequados às nossas competências. Na base de tudo, é fundamental semear e cultivar relações de qualidade com as pessoas que amamos.

A proposta é viver a vida mais como um passeio e não como uma viagem focada no destino, querendo que aquilo que estamos vivendo acabe logo. Todo passeio tem um destino, mas ao passear saboreamos o caminho. Se o destino chegar, ótimo. Se não chegar, aproveitamos o trajeto percorrido.

Tenha objetivos. Orgulhe-se de suas conquistas. Valorize e preserve as relações importantes da sua vida. Mas não se esqueça de saborear e aproveitar os instantes que a vida lhe dá, de estar aqui, com a cabeça aqui, de não viver esperando o objetivo chegar. Tenha o objetivo no horizonte, mas, ao deitar a cabeça no travesseiro, tente encontrar a tranquilidade de que hoje você aproveitou ao máximo e fez o melhor que podia – para amanhã chegar lá.

Caro leitor

O Diamante de Bolso é uma pequena joia para o seu dia a dia. Aprofunde e enriqueça sua experiência com a leitura da edição original e integral desta obra.